EXIT FINAL

Conception graphique de la couverture: Violette Vaillancourt

DISTRIBUTEURS EXCLUSIFS:

- Pour le Canada et les États-Unis:
  LES MESSAGERIES ADP*
  955, rue Amherst, Montréal H2L 3K4
  Tél.: (514) 523-1182
  Télécopieur: (514) 521-4434
  * Filiale de Sogides Ltée

- Pour la Belgique et le Luxembourg:
  PRESSES DE BELGIQUE S.A.
  Boulevard de l'Europe 117
  8-1301 Wavre
  Tél.: (10) 41-59-66
  (10) 41-78-50
  Télécopieur: (10) 41-20-24

- Pour la Suisse:
  TRANSAT S.A.
  Route du Grand-Lancy, 2, C.P. 125, 1211 Genève 26
  Tél.: (41-22) 42-77-40
  Télécopieur: (41-22) 43-46-46

- Pour la France et les autres pays:
  INTER FORUM
  13, rue de la Glacière, 75624 Paris Cédex 13
  Tél.: (33.1) 43.37.11.80
  Télécopieur: (33.1) 43.31.88.15
  Télex: 250055 Forum Paris

DEREK HUMPHRY

EXIT FINAL

PRÉFACE DE
HUBERT REEVES

Traduit de l'anglais
par
Élise de Bellefeuille
et
Michel Saint-Germain

Données de catalogage avant publication (Canada)

Humphry, Derek, 1930-

Exit final: pour une mort dans la dignité

Traduction de: Final exit.
Comprend des références bibliographiques et un index.

ISBN 2-89044-438-4

1. Suicide. 2. Droit à la mort. I. Titre.

R726.H8514 1991 362.2'8 C91-090801-X

L'ouvrage original américain a été publié par The Hemlock Society
sous le titre *Final Exit*
(ISBN: 0-9606030-3-4)

Dépôt légal: 4e trimestre 1991
Bibliothèque nationale du Québec

ISBN 2-89044-438-4

Enfant de la noirceur, j'écoute. Et plus d'une fois
J'ai été mi-amoureux d'une mort aisée,
L'ai appelée par de doux noms en maints vers inspirés,
Afin qu'elle dissémine mon souffle tranquille.
Maintenant plus que jamais, il semble apaisant de mourir,
De m'éteindre à minuit sans douleur...

John Keats
1795-1821

À la mémoire de
Emily Gilbert, Janet Adkins et Virginia Harper

REMERCIEMENTS

J'ai eu la chance, en rédigeant cet ouvrage, de bénéficier de l'aide de nombreuses personnes. Mes collègues de la Hemlock Society, Cheryl K. Smith, Kristin A. Larson et Michele A. Trepkowski, m'ont donné leur appui et m'ont fait plusieurs critiques constructives. Warren Sparks, Elmer Klavens, Pieter Admiraal et bien d'autres m'ont prodigué de sages conseils. J'assume l'entière responsabilité des opinions que contient ce livre et des erreurs qui auraient pu s'y glisser.

NOTE DE L'AUTEUR

Ce livre a été composé en gros caractères (Times 14 points) afin de faciliter la lecture des nombreuses personnes affligées d'une vue défaillante. En outre, cet ouvrage présuppose que le lecteur reconnaît et accepte le principe moral selon lequel un malade en phase terminale a le droit de décider de mettre volontairement un terme à ses souffrances: le pour et le contre de l'euthanasie n'y sont donc pas débattus. L'historique de cette question, et la controverse qu'elle a suscitée, ont été traités dans *THE RIGHT TO DIE: Understanding Euthanasia.*

Préface

La mort est une réalité que les enfants découvrent très tôt. Ils voient mourir des animaux; on leur dit que leur grand-mère est morte. Plus tard ils apprennent que tous les humains doivent mourir. Mais cette connaissance reste longtemps abstraite; cela arrive aux autres.

Le fait inéluctable de notre mort personnelle, un certain jour du calendrier, et pas si loin que ça, met beaucoup de temps à nous atteindre et à nous toucher. Chaque décès, autour de nous, de parents et d'amis proches, enfonce un peu plus le clou et démolit davantage notre mythe infantile d'immortalité. Avec les années, le vide s'accroît dans les rangs de nos connaissances. L'écrivain Jacques Laurent disait: «Mon carnet d'adresses ressemble de plus en plus à une notice nécrologique.»

Ces départs, autour de nous, redonnent du poids au message: tu n'y couperas pas. Ils nous invitent, plutôt qu'à la fuir, à regarder la mort en face.

Quand les éditeurs de ce livre m'ont proposé d'en écrire la préface, je suis resté un moment perplexe. Pourquoi cette demande à un astrophysicien? Sans doute parce que le thème de la mort revient fréquemment dans mes livres sur l'histoire de l'univers.

La chute des feuilles, les fleurs qui meurent à l'automne nous rappellent que la mort est un épisode normal de la nature. L'an prochain d'autres plantes naîtront et le printemps sera aussi beau. La séquence naissance, vie et mort des organismes est un élément essentiel du cycle de la vie sur la Terre.

Ce cycle s'inscrit dans un cycle plus vaste, celui de la naissance, de la vie et de la mort des étoiles, qui, peut-être, comme notre Soleil, illuminent des planètes où des fleurs embaument. En mourant, les étoiles rejettent dans l'espace les atomes qu'elles ont fabriqués au cours de leur existence. Les molécules de notre biosphère sont les fruits accumulés d'une myriade de vies et de morts stellaires sans lesquelles nous ne serions jamais venus au monde. De même, d'innombrables vies végétales et animales ont enrichi les sols qui nous nourrissent et ont mené l'évolution vers l'intelligence.

Ce cycle stellaire lui-même occupe une partie importante de la vie de l'univers. Il joue un rôle essentiel dans l'évolution de la matière, hors du chaos primordial, vers des sommets toujours plus élevés de l'organisation cosmique. Chaque être contribue par sa vie et par sa mort au devenir mystérieux de l'univers.

La découverte par les sciences contemporaines de cette «odyssée cosmique» donne à notre présence terrestre sa véritable dimension. C'est dans cette optique qu'il faut resituer à la fois notre existence et notre mort.

Mais, il y a un «mais». Si les fleurs meurent en douceur, tel n'est pas nécessairement le cas pour nous. Il n'y a aucune garantie que cela se passe «bien». Les témoignages sont multiples. D'un tel, on dit qu'il est mort comme on s'endort, d'un autre, que ses derniers jours ont été ravagés par d'atroces souffrances. Si nous sommes sûrs de notre extinction, nous n'avons aucune idée du mode qui sera le nôtre, et dont nos proches diront: il est mort de ceci ou de cela, comme ceci ou comme cela.

Il faut, je crois, admirer et encourager ceux qui, ces dernières années, ont eu le courage de s'intéresser à cette réalité difficile. Dans le passé, trop souvent, on a feint de l'ignorer. Plusieurs personnes ont osé sortir de la clandestinité la possibilité d'un recours à l'euthanasie quand la mort est prochaine, que les souffrances sont intolérables ou que la détérioration du corps rend la vie dégradante. Ils ont bravé les foudres d'une loi trop rigide et, par là, potentiellement inhumaine. Il faut les en féliciter.

Il faut avoir le courage de lire leurs livres. Le sujet n'est pas gai, mais il fait partie de la réalité. Il peut nous permettre d'améliorer considérablement l'existence; tout autant celle de nos proches que la nôtre.

Il peut nous aider à «vivre» la mort personnelle comme un événement normal, intimement mêlé et inextricablement lié au phénomène global de l'évolution de la vie sur la Terre et dans l'ensemble du cosmos.

Hubert Reeves
15 octobre 1991

Avant-propos

Ma mère était atteinte d'un cancer des ovaires et elle se mourait — mais pas assez vite à son goût. Je n'oublierai jamais le jour où elle m'a fait part de ses volontés: «J'ai eu une vie merveilleuse, mais c'est fini, ou ce devrait l'être. Je n'ai pas peur de mourir, mais j'ai peur de la maladie, de ce qu'elle me fait... Il n'y a plus rien qui me soulage. Je ne ressens que des nausées et cette douleur... La chimiothérapie est inutile. Il n'y a plus de traitement possible. Que va-t-il m'arriver maintenant? Moi, je le sais. Je vais mourir à petit feu... Et cela, je ne le veux pas... Qui aurait avantage à ce que je meure lentement? Si cela profitait à mes enfants, je serais prête à le faire. Mais cela ne vous donnera rien. Cela ne donnera rien à Ed (mon mari). C'est inutile de mourir lentement, complètement inutile. Je n'ai jamais aimé faire de choses inutiles. Je dois en finir.»

Dans mon livre *Last Wish*, je décris la lutte difficile que ma mère a dû livrer pour mourir: je raconte combien il peut être difficile, lorsqu'on est très malade — tellement malade qu'on peut à peine avaler — et qu'on n'a aucun penchant pour la violence, de mourir décemment. Décemment, c'est-à-dire calmement et sans douleur, auprès de sa famille. Ma mère a eu de la chance. Elle s'est réveillée un matin capable d'avaler et, grâce à mes recherches, elle savait quelles pilules feraient effet. Elle les a prises et elle est morte, dans la paix, la dignité et la reconnaissance. Mais elle avait failli attendre trop longtemps. «À ce que je vois, me dit-elle un jour où elle ne pouvait même pas garder une gorgée d'eau, on ne me laissera pas mourir avant que je prenne du mieux.»

J'aimais ma mère et je l'aime toujours. Je ne voulais pas qu'elle meure. Il est dans l'ordre des choses de perdre ses parents, mais la pensée que ma mère soit absente de la vie — de ma vie — m'était inconcevable. Ma mère non plus ne voulait pas mourir. Lorsque son cancer a été diagnostiqué, elle s'est soumise pendant un an à une chimiothérapie extrêmement pénible. Lorsque le cancer est réapparu, elle a choisi de poursuivre le même traitement. Mais son corps a lâché et ses médecins — pas elle — ont décidé d'interrompre les traitements. À partir de ce moment, sa vie, à ses yeux, était bel et bien terminée. Comme d'habitude, elle nous en fit part avec une lucidité remarquable: «Pour moi, ce n'est pas ça, être en vie. Être en vie, c'est faire une promenade, c'est aller voir mes enfants, c'est manger! Tu te rappelles comme j'aimais manger? Maintenant, la seule pensée de la nourriture me rend malade... Si j'étais en vie, j'aurais faim. Je ne veux pas de cette existence.»

Ma mère avait la naïveté de croire qu'une fois sa décision prise — une décision qui, selon elle, était rationnelle et raisonnable — elle parviendrait, d'une façon ou d'une autre, à mourir. Elle avait raison. Pour ma mère, la vie était devenue un piège, une prison, et elle est parvenue à s'en évader, mais elle a bien failli échouer. L'un après l'autre, tous les médecins ont refusé de nous aider (combien de pilules? quelle sorte?).

Au cours des six années qui se sont écoulées depuis la parution de *Last Wish*, j'ai reçu des centaines de lettres. Les plus tristes viennent de personnes — ou de proches parents de personnes — qui ont essayé de mourir, ont échoué et ont souffert encore plus. Un grand nombre de ces personnes ont demandé à leurs médecins ou à leur famille de les aider, mais cette aide leur a été refusée, parce que, bien qu'il soit légal de se suicider, la loi interdit d'aider quelqu'un à le faire.

Voici un des aspects ironiques de la médecine moderne: la technologie peut maintenant prolonger la vie au-delà de sa durée naturelle, mais une fois ces «machines miracles» mises en marche, il est illégal, la plupart du temps, de les arrêter. Nous sommes parfois confrontés à des choix très difficiles au nom du «progrès». Ainsi, même s'il semble peu naturel — certains disent irréligieux — de mettre fin à sa propre vie, est-il plus naturel ou plus conforme aux desseins de Dieu de vivre branché à un appareil — ou de connaître des souffrances atroces — parce que sa vie a été prolongée par la science?

Posons-nous plutôt la vraie question: une personne a-t-elle le droit de mettre un terme à sa vie lorsqu'elle approche de la fin et qu'elle n'a plus devant elle que l'horreur? Et, si nécessaire, un médecin devrait-il avoir la permission de l'aider? Ayant vu ce que ma mère a dû traverser, et en raison de ce que je sais maintenant de la souffrance des autres, je réponds oui.

L'Ordre des médecins affirme parfois que personne ne souhaiterait mourir si les calmants étaient dispensés de manière adéquate. Malgré les efforts louables des hospices, ce «si» est certainement l'un des plus douteux qui soient.

Certaines personnes veulent vivre intensément chaque seconde de leur vie — aussi pénible soit-elle — et c'est *leur* droit. Mais d'autres pensent autrement et ils devraient aussi en avoir le droit. Jusqu'à ce qu'ils obtiennent ce droit, jusqu'à ce que l'on adopte des lois qui permettent aux médecins d'aider les gens qui veulent prendre la sortie, voici, pour les guider, le livre de Derek Humphry, au titre si approprié.

Betty Rollin

Introduction

Lorsque ma première femme ne fut plus capable de supporter la douleur, la détérioration physique et la détresse morale provoquées par le cancer, elle me demanda de l'aider à mettre un terme à sa vie. C'était une requête à la fois logique et poignante.

Que devais-je faire? Je n'étais ni médecin ni pharmacien. Le recours à la violence, que ce soit au moyen d'une arme à feu, d'une arme blanche ou par strangulation, me faisait profondément horreur, surtout parce que mes 35 années d'expérience comme journaliste m'avaient trop souvent donné l'occasion de constater l'odieux des résultats.

«Trouve un médecin qui acceptera de nous donner une dose mortelle de médicaments», suppliait Jean. Ne supportant pas de la voir souffrir, et touché par son calme, je décidai sur-le-champ de l'aider.

À qui pouvais-je m'adresser? Je songeai d'abord aux trois médecins qui l'avaient traitée avec tant de compétence et de dévouement. Ils avaient passé beaucoup de temps à s'occuper d'elle, même s'ils reconnaissaient à présent — ils nous en parlaient d'ailleurs ouvertement — que la mort approchait et qu'ils allaient bientôt être à court de traitements.

Pourtant, j'envisageais de demander à l'un de ces trois professionnels de commettre un crime: celui d'assister quelqu'un dans son suicide. Le code pénal ne tient aucun compte de la volonté d'une personne de mourir, ni de l'imminence ou du caractère inéluctable de la mort. Si jamais on découvrait que l'un d'eux avait aidé ma femme à mourir, il aurait été poursuivi et radié de la profession médicale.

Impossible de leur demander, décidai-je. Mais il me fallait néanmoins aider Jean: elle comptait sur moi.

Puis, je me suis rappelé un jeune médecin que j'avais rencontré des années auparavant, alors que je faisais un reportage pour mon journal.

J'ai donc téléphoné au «Docteur X» et lui ai demandé de m'accorder un rendez-vous. Il m'a invité à venir le rencontrer à son cabinet, car il était devenu un médecin éminent, doté d'une pratique lucrative. En dépit de son prestige et de son pouvoir, il n'avait pas perdu la compassion et l'humanité que j'avais jadis remarquées chez lui. Je lui dis à quel point Jean était malade et lui fis part de sa volonté de mourir bientôt. Il m'interrogea longuement sur l'évolution et les effets de la maladie, et sur la nature des traitements que Jean avait reçus.

En apprenant que les os de Jean se fracturaient au moindre mouvement brusque, il coupa court à la conversation. «Elle n'a plus aucune qualité de vie», dit-il. Puis il se rendit jusqu'à son armoire à pharmacie.

Le «D^r X» mit quelques pilules dans un flacon qu'il me tendit. Il m'expliqua qu'il fallait vider le contenu des capsules dans une boisson sucrée afin d'en atténuer l'amertume.

«Ceci doit rester strictement entre vous et moi», dit-il en me regardant droit dans les yeux.

— Vous avez ma parole que personne ne connaîtra jamais votre rôle dans cette affaire», lui assurai-je. Je le remerciai et m'en allai.

Quelques semaines plus tard, lorsque Jean sut que le moment était venu, elle me demanda de lui donner les médicaments. J'étais déchiré, mais je dus accepter. Nous passâmes la matinée à nous rappeler nos 22 années de vie commune. Puis, après avoir dissous le contenu des capsules dans du café, nous nous fîmes nos adieux. Je regardai Jean tandis qu'elle buvait le café. Elle eut à peine le temps de murmurer «Adieu, mon amour» avant de s'endormir. Cinquante minutes plus tard, elle avait cessé de respirer.

Ma femme est morte en 1975 comme elle le désirait et comme elle le méritait. Mais pour y arriver, deux crimes ont été commis.

D'abord, le «Dr X» a enfreint la loi en remettant des médicaments à une personne qui n'était pas sa patiente et qu'il n'avait jamais vue. En outre, il a aidé quelqu'un à commettre un suicide, parce qu'il a donné ces médicaments en sachant très bien à quoi ils allaient servir.

Deuxièmement, j'avais également commis le crime d'assister quelqu'un dans un suicide, crime passible en Angleterre, où j'habitais à l'époque, d'une peine pouvant atteindre 14 ans d'emprisonnement. (La situation aurait été la même aux États-Unis, où je vis maintenant, car les lois américaines en la matière, de même que celles de tous les pays occidentaux, sont presque exactement les mêmes. En Californie, par exemple, la peine est de cinq ans.)

Mais le «Dr X» et moi avons-nous commis de véritables crimes et méritons-nous d'être punis? Ces lois archaïques ne devraient-elles pas plutôt être adaptées aux situations, à l'intelligence et à la morale modernes?

Il n'est pas donné à tout le monde de pouvoir compter sur l'amitié d'un médecin compatissant, comme je pus le faire. Mais, surtout, pourquoi des médecins consciencieux comme le «Dr X» devraient-ils prendre des risques aussi?

Si j'avais perdu mon sang-froid lorsque les enquêteurs m'ont interrogé sur la mort de Jean et si j'avais révélé l'identité du «Dr X», celui-ci aurait fait l'objet de poursuites qui l'auraient inévitablement mené à la ruine professionnelle. C'est ce qui est déjà arrivé dans d'autres cas. De plus, la situation était empreinte d'hypocrisie.

Les autorités n'apprirent la vérité sur le décès de Jean qu'en 1978, lorsque je fis paraître *Jean's Way*, sa biographie. Ce livre suscita une telle controverse que la police se sentit obligée de m'interroger. J'avouai sans hésiter et proposai de plaider coupable si j'étais traduit en justice. Mais, quelques mois plus tard, je reçus une note du procureur, m'informant qu'il avait décidé de ne pas porter d'accusations contre moi.

Le tabou du suicide pour motifs de santé n'existe plus depuis 1980. Bien que la question n'ait pas encore été abordée en termes clairs dans les politiques sociales et médicales, on reconnaît aujourd'hui que le suicide est largement répandu chez les gens âgés et qu'il ne mérite pas d'être condamné d'emblée. Le public et les tribunaux se montrent très tolérants à l'égard de ces gens désespérés qui tuent leurs proches de leur propre chef, avec la conviction que c'est le seul acte de compassion possible. Des sommités intellectuelles comme Arthur Koestler et Bruno Bettelheim choisissaient récemment de mettre fin à leurs jours; leur geste n'a pas provoqué le même choc ou les mêmes critiques que celui du théologien Pitney Van Dusen, qui optait, en 1975, pour l'autodélivrance comme façon de se soustraire à la vieillesse débilitante.

Lorsque le Dr Jack Kevorkian décida, en 1990, d'aider Janet Adkins à se suicider, même si elle n'en était qu'aux premiers stades de la maladie d'Alzheimer, et malgré les critiques de quelques psychologues et moralistes improvisés, le public lui accorda un appui considérable pour sa compassion.

Le temps n'est pas loin où, dans des cas justifiables, l'euthanasie médicalement assistée deviendra légale dans certains pays progressistes. Les sociétés pour l'euthanasie aux Pays-Bas, en Grande-Bretagne, en France et aux États-Unis constatent actuellement que leurs propositions de réformes législatives reçoivent un accueil beaucoup plus favorable auprès du public, de la profession médicale, des juristes et des politiciens. Aux États-Unis, le mouvement Hemlock (ciguë) a réalisé des progrès politiques importants sur la côte Ouest, notamment dans l'État de Washington.

En 1981, je publiais, à compte d'auteur, un premier ouvrage sur l'autodélivrance, *Let Me Die Before I Wake*. Aucune maison d'édition n'en voulait. Malgré les critiques et les commentaires hypocrites, cet ouvrage s'est bien vendu (à plus de 130 000 exemplaires) et des centaines de personnes s'en sont servies pour mettre fin à une existence que la maladie avait rendue insupportable. Il se peut que certains en aient abusé — lorsqu'un produit est à la portée de quelque 300 millions de personnes en Amérique du Nord, il est impossible de vérifier les raisons de chaque décès —, mais aucun abus n'a encore été démontré. La version mise à jour de *Let Me Die Before I Wake* continue d'attirer des lecteurs, parce qu'elle traite des répercussions de l'autodélivrance sur l'individu et sa famille. À cet égard, cet ouvrage restera toujours d'actualité.

Le moment est maintenant venu de faire un pas de plus. *Exit final* est un livre pour les années 90. La société a évolué. Grâce à la télévision, aux magazines et aux livres, nous sommes aujourd'hui remarquablement bien informés sur les problèmes médicaux. L'idée que l'individu est le seul à pouvoir décider de son intégrité corporelle est maintenant bien ancrée dans l'imaginaire collectif. La plupart des gens se sont fait une opinion sur les cas de Nancy Cruzan, de Karen Ann Quinlan, de Roswell Gilbert et sur d'autres cas vedettes du droit de mourir. On considère maintenant les médecins comme de «sympathiques techniciens du corps», plutôt que comme des maîtres de la santé, dont les conseils doivent être interprétés comme des ordres.

Exit final est destiné à aider le public et les professionnels de la santé à donner une mort digne à ceux qui l'envisagent.

Derek Humphry
Eugene (Oregon)
Décembre 1990

CHAPITRE 1

La décision la plus difficile

Voici le scénario: vous êtes en phase terminale d'une maladie, tous les traitements médicaux qui vous sont acceptables ont été épuisés et la souffrance sous ses diverses formes vous est devenue insupportable. En raison de l'extrême gravité de votre maladie, vous reconnaissez que votre vie tire à sa fin. L'euthanasie vous vient à l'esprit comme façon de vous libérer.

Le dilemme est terrifiant, mais vous devez l'affronter. Devriez-vous continuer à lutter, à subir la douleur et l'indignité et attendre la fin inévitable, qui peut mettre des semaines ou des mois à venir? Ou devriez-vous recourir à l'euthanasie qui, dans sa définition moderne, signifie «aider à bien mourir»?

Aujourd'hui, l'option de l'euthanasie revêt deux formes :

L'euthanasie passive

Il s'agit du débranchement du système d'assistance cardio-respiratoire indispensable à votre survie. Cela ne devrait pas poser de grave problème juridique ou moral, pourvu que vous ayez signé un testament de vie et une procuration, deux documents dans lesquels vous exprimez vos volontés.

L'euthanasie active

Il s'agit de prendre vous-même des mesures actives pour mettre fin à votre vie, comme dans le cas d'un suicide. Ou bien, et de préférence, d'obtenir l'assistance d'une autre personne: c'est ce qu'on pourrait appeler l'euthanasie assistée. (Rappelez-vous que l'euthanasie assistée demeure un acte criminel. Voir chapitre 3.)

Si vous n'êtes pas maintenu artificiellement en vie par un système d'assistance cardio-respiratoire, la première option vous échappe, car il n'y a évidemment rien à débrancher. En Occident, actuellement, environ la moitié des gens qui meurent étaient branchés à un appareil. Vous faites peut-être partie de l'autre moitié. Si votre intention est de quitter ce monde, l'euthanasie active est votre seule porte de sortie. Lisez attentivement ce qui suit.

(Si vous croyez que Dieu est le seul maître de votre destin, ne poursuivez pas votre lecture. Cherchez plutôt la meilleure façon d'atténuer vos souffrances et prenez les dispositions nécessaires pour être accueilli dans un hospice.)

Si vous tenez à conserver la maîtrise de votre destinée, cela exigera de la réflexion, de la planification, de la documentation, l'aide d'amis sûrs et une action décisive et courageuse de votre part. Ce livre vous aidera, mais du point de vue moral et juridique, la décision de mettre fin à votre vie, de même que la façon dont vous vous y prendrez, relève de votre entière responsabilité.

Il vous incombe également de trouver les médicaments appropriés, d'obtenir l'aide de quelqu'un (si vous le désirez) et de mener à bien votre autodélivrance dans un endroit et d'une manière qui n'indisposeront personne.

Si vous ne l'avez pas encore fait, rédigez et signez un testament de vie et faites-le contresigner par un témoin. Utilisez le formulaire qui a cours dans votre pays. Par ce document, vous déclarez à l'avance que vous ne voulez pas être maintenu artificiellement en vie, s'il advenait que votre maladie atteigne sa phase terminale et que vous n'ayez plus aucun espoir de rémission.

Ou, si vous êtes déjà branché à un système d'assistance cardio-respiratoire parce que tous les autres moyens ont échoué, un testament de vie donne au personnel médical la permission de débrancher cet appareil. En signant ce document, vous en acceptez les conséquences fatales.

Mais rappelez-vous: un testament de vie n'est rien de plus qu'une requête adressée à un médecin de ne pas prolonger artificiellement votre vie. Ce n'est pas un ordre. Ce document n'a pas force de loi, mais cette «décharge» signée constitue certainement un argument valable, dont le médecin tiendra compte lorsque viendra pour lui le moment de prendre une décision. Le testament de vie protégera le médecin contre toute poursuite éventuelle intentée par vos parents après votre décès.

La procuration, qu'on peut obtenir auprès du ministère de la Justice, constitue par ailleurs un document plus efficace. Elle vous permet de conférer à une autre personne le pouvoir de prendre les décisions relatives aux soins de santé qui vous seront administrés, si et lorsque vous ne pouvez pas le faire vous-même.

Par exemple, si votre médecin est incapable de vous faire comprendre les conséquences du traitement envisagé, il s'adressera normalement à votre plus proche parent. Si cette personne est confuse ou a d'autres valeurs que les vôtres, sa décision pourrait aller à l'encontre de vos volontés actuelles.

Si vous accordez une procuration à une personne à qui vous avez déjà confié vos volontés générales ou particulières, et qui a accepté cette responsabilité, vous aurez plus de chances d'obtenir le genre de traitement — ou de décès — que vous désirez. Votre médecin devra obtenir l'approbation du fondé de pouvoir que vous aurez désigné. S'il y a dissension dans la famille quant aux gestes à poser, la décision finale reviendra à votre «fondé de pouvoir». À la différence du testament de vie, la procuration est exécutoire.

La procuration est peut-être le document le plus important que vous ayez à signer. Cependant, elle n'a cours actuellement que pour l'euthanasie passive (faire cesser les traitements) et ne donne à personne le droit de pratiquer l'euthanasie active (aider une personne à mourir). En rendant sa décision dans l'affaire Nancy

Cruzan en 1990, la Cour suprême des États-Unis reconnaissait officiellement la procuration (américaine) comme étant la meilleure façon d'exprimer de façon claire et convaincante ses dernières volontés en matière de soins médicaux.

À compter de novembre 1991, tous les hôpitaux américains subventionnés par le gouvernement fédéral seront tenus, en vertu de la Loi relative à l'autodétermination du patient, d'informer leurs patients qu'ils ont le droit de laisser un testament de vie et une procuration.

Il ne fait aucun doute que l'existence de deux déclarations préalables dûment signées, comme celles que je viens de décrire, aura un certain poids lorsque sera envisagée la question de l'euthanasie active. La rédaction de ces deux documents démontrera que vous êtes allé aussi loin qu'il est possible de le faire de nos jours au point de vue légal et que vous avez fait preuve de prévoyance quant à la nature de votre mort. Votre adhésion à un organisme favorable à l'euthanasie volontaire constitue peut-être actuellement la façon la plus éloquente de démontrer vos convictions.

On peut se procurer un testament de vie et une procuration à l'organisme en question qui vous fera également parvenir un guide pour vous aider à remplir la déclaration: vous n'aurez donc pas nécessairement besoin des services d'un avocat. Pour être utiles, ces deux documents doivent être distribués au préalable à quiconque est susceptible d'être concerné par vos dernières heures.

Quand vous aurez rempli ces documents, vous serez prêt à vous occuper des autres aspects de votre ultime projet.

CHAPITRE 2

Trouver le bon médecin

Si l'euthanasie vous intéresse comme porte de sortie éventuelle, je vous conseille vivement d'entretenir de bonnes relations avec votre médecin. Il est important que votre médecin connaisse votre attitude à l'égard de la mort, afin qu'il soit prévenu. Ainsi, il y aura un témoin crédible qui pourra attester du fait que vous avez pris une décision rationnelle bien avant que vos problèmes de santé ne deviennent critiques. Cela pourrait même influer sur la décision de la police ou du bureau du coroner de faire enquête.

C'est donc dire qu'à moins que vous ne soyez parfaitement satisfait de votre médecin actuel, vous devez en chercher un autre.

Avez-vous interrogé votre médecin traitant sur ses opinions quant au droit de mourir? Ne prenez pas de risques. Ce n'est pas parce qu'un médecin est aimable qu'il partage vos convictions morales. Vérifiez. La meilleure façon d'amorcer le dialogue consiste à vous présenter à son cabinet avec votre testament de vie et votre procuration. Présentez-lui ces documents de déclaration anticipée et demandez-lui tout bonnement s'ils seront respectés lorsque viendra pour vous le temps de mourir.

Ses réponses vous permettront de juger si c'est le médecin qui vous convient. Ne vous laissez pas influencer par des remarques gentilles et pleines de bonnes intentions comme «Ne vous inquiétez pas. Je ne vous laisserai pas souffrir.» Ou encore: «Faites-moi confiance, je n'ai jamais laissé un patient mourir dans la douleur.» Ces réponses sont beaucoup trop vagues et générales pour qu'on puisse s'y fier.

Obligez votre médecin à vous répondre franchement. Le système d'assistance cardio-respiratoire sera-t-il débranché lorsqu'on s'apercevra qu'il n'y a plus aucun espoir de guérison? Cet appareil sera-t-il utilisé même si on diagnostique une maladie incurable et à issue fatale? Après avoir ouvert la discussion avec ces trois questions fondamentales, annoncez carrément à votre médecin que vous appuyez un organisme favorable à l'euthanasie volontaire et demandez-lui ouvertement s'il acceptera, par compassion, de vous administrer une dose létale de médicaments quand vous serez en phase terminale. La réponse à cette dernière question sera peut-être un refus net, ou mitigé, car l'euthanasie volontaire active n'est pas encore légale et le médecin peut vouloir se protéger. Certains médecins qui ont pris la peine de réfléchir à la question donneront sans ambages l'assurance de leur assistance, dans des circonstances discrètes et justifiées. Mais ils sont encore en minorité.

C'est à vous de juger, selon ses réponses, si vous avez affaire au médecin qui vous convient. Bien entendu, s'il se moque de vos documents de déclaration préalable, vous devez changer immédiatement de médecin.

Téléphonez aux hôpitaux de votre localité et demandez-leur de vous référer à un médecin. Si cela ne fonctionne pas, adressez-vous à la corporation médicale de votre région. Prenez les noms et numéros de téléphone de cinq ou six médecins qui pratiquent près de chez vous et enquérez-vous de leur spécialité si vous souffrez d'un problème de santé particulier. Informez-vous également à votre organisme pour l'euthanasie volontaire. Il serait bon également de vérifier, chez votre courtier d'assurance, si ces médecins sont agréés. Prenez rendez-vous avec ces médecins, en précisant que vous aimeriez qu'ils vous accordent 15 ou 20 minutes de leur temps. Vous verrez que la plupart apprécieront votre démarche. Aujourd'hui, la majorité des médecins ne sont pas aussi guindés et vieux jeu que ceux d'autrefois.

J'aurais personnellement tendance, à l'âge de 60 ans, à choisir un médecin de moins de 45 ans, homme ou femme, plutôt qu'un médecin plus âgé. En tant que journaliste et militant du droit de mourir, j'ai eu l'occasion d'observer des centaines de médecins et de constater que les jeunes médecins sont moins dogmatiques et ont moins d'opinions arrêtées. Ils sont plus ouverts aux idées nouvelles et mieux informés que leurs aînés sur les controverses médicales actuelles, y compris la loi et l'éthique.

Quand vous vous rendrez chez le médecin pour cette entrevue de sélection, observez bien la salle d'attente et vérifiez si les magazines ont été renouvelés dernièrement. Le personnel est-il aimable et prévenant? Ce sont là des indices du degré de considération accordé au patient. Vous ne voulez surtout pas d'un médecin qui se contente de diriger une entreprise! Si l'on vous fait attendre un certain temps, observez si le médecin s'en excuse ou du moins fait allusion à la raison de ce retard.

Mettez rapidement le médecin à l'aise. Prenez la parole. Dites qui vous êtes, où vous habitez et quelles seront vos priorités en ce qui concerne votre santé. Si l'on vous demande pourquoi vous désirez changer de médecin, donnez une raison banale, un changement d'adresse, par exemple. Décrivez brièvement vos problèmes médicaux. Quand le médecin aura répondu à vos questions, parlez-lui du testament de vie, puis soulevez la question déterminante: le moment venu, acceptera-t-il de vous aider à mourir?

Ne vous gênez pas pour vérifier certains critères objectifs: Où ce médecin a-t-il obtenu ses diplômes, et quand? À quel hôpital ou à quels hôpitaux est-il attaché? Ce médecin est-il un spécialiste membre d'une corporation professionnelle? Il est très important de demander comment se fera le transfert de votre dossier médical, que détient actuellement votre ancien médecin. Aucune loi américaine ne régit les dossiers médicaux privés, mais la plupart des États accordent au patient ou à son *fondé de pouvoir* le droit d'examiner son dossier médical et d'en obtenir une copie. Il peut y avoir des restrictions ou des exemptions lorsque l'information est considérée comme potentiellement néfaste pour le patient, en particulier dans le cas des dossiers psychiatriques. Dans la plupart des États, le transfert des dossiers médicaux est obligatoire sur demande écrite du patient. Certains médecins peuvent refuser de le faire en raison d'honoraires impayés. Le transfert des dossiers médicaux ne pose habituellement aucun problème, mais dût-il y en avoir, demandez l'aide du ministère de la Santé ou d'un avocat.

Ne vous engagez pas auprès d'un médecin sur-le-champ. Retournez chez vous et réfléchissez-y. Bien entendu, si vous avez un conjoint ou un compagnon, il est préférable que vous fassiez ces visites ensemble. Quand un des conjoints est malade, c'est souvent l'autre qui doit communiquer avec le médecin. Partagez vos impressions sur les différents médecins que vous avez vus avant de prendre une décision.

Quand vous aurez fait votre choix, rendez-vous à l'hôpital où ce médecin envoie ses patients le plus souvent. Cet hôpital aura peut-être une procédure de préadmission. Certains font même la promotion de ce service avec des tournées des installations et des déjeuners gratuits. Si possible, remettez à l'avance à l'hôpital des exemplaires de votre testament de vie et de votre procuration. (Vous les aurez préalablement fait parvenir à votre médecin.) Si votre dossier est inactif, ces documents risquent d'être oubliés ou égarés: il serait donc sage d'en apporter de nouvelles copies lors de la première admission, si possible.

Il vous sera impossible d'évaluer avec certitude si tel médecin est celui qui vous convient le mieux, jusqu'à ce qu'il vous traite pour certains problèmes.

Cette démarche vous permettra uniquement de vérifier si vous pouvez communiquer aisément avec cette personne. Mais c'est un excellent début.

CHAPITRE 3

Attention à la loi!

Il est actuellement illégal d'aider intentionnellement une autre personne à mourir. Vous penserez peut-être qu'il s'agit là d'une interdiction stupide et insensée, mais il reste que notre société est régie par la loi: il nous faut donc agir avec prudence. Bientôt, espérons-le, la loi sera modifiée et permettra l'euthanasie médicalement assistée, mais nous n'en sommes pas encore là.

À l'heure actuelle, les Pays-Bas est le seul pays qui permet à un médecin d'aider, sur demande, un patient à mourir. Depuis 1984, les médecins hollandais peuvent aider des malades à hâter leur fin: cette année-là, un tribunal a créé un précédent établissant les normes de cette forme d'assistance. Mais il est inutile de se rendre aux Pays-Bas, car la loi interdit formellement aux médecins de pratiquer l'euthanasie sur des étrangers.

Le fondement de cette dernière règle est que le médecin doit bien connaître le patient. De plus, la famille doit être informée, ce qui semble tout à fait légitime. Mais je crois que la vraie raison, c'est que les

Hollandais ne veulent pas hériter des problèmes de maladie incurable du monde entier: ils en ont leur juste part. Ils ne veulent pas non plus acquérir la douteuse réputation d'un centre de suicide. Je suis d'accord. Chaque pays doit régler ses propres problèmes, mais je crois qu'il y a beaucoup à apprendre de l'expérience hollandaise.

Le suicide, cependant, n'est pas un crime, non plus que la tentative de suicide. Il l'a déjà été en bien des endroits, mais le suicide n'a pas fait l'objet de poursuites aux États-Unis ou ailleurs depuis les années 60. Certaines personnes qui souffrent de maladies mentales et qui sont suicidaires sont parfois enfermées pendant de courtes périodes pour leur propre protection, mais on parle alors de droit civil, et non de droit criminel.

Dans tous les pays, il est illégal d'assister quelqu'un dans un suicide, pour quelque motif que ce soit. Aux yeux de la loi, il ne servira à rien d'affirmer que vous avez agi pour respecter la volonté de cette personne ou que c'était un acte de compassion extrême. Environ la moitié des États américains ont adopté des lois qui interdisent spécifiquement l'euthanasie assistée; l'absence de loi en la matière ne signifie pas pour autant que cela soit permis. L'État peut porter des accusations en invoquant une loi plus générale, comme l'homicide involontaire ou le meurtre. C'est ce que Bertram Harper a appris à ses dépens à l'été 1990, quand il s'est rendu, en compagnie de sa femme en phase terminale, de la Californie au Michigan, croyant qu'il pourrait l'y aider à mourir sans crainte de poursuites. Mme Harper est morte dans une chambre de motel de Détroit, en présence de son mari et de sa fille, comme elle le souhaitait. Le lendemain, M. Harper était accusé de meurtre au premier degré.

Et pourtant, chaque année aux États-Unis, des centaines de personnes aident leurs proches à mourir. Chaque année, l'une d'elle est menacée d'être poursuivie par les autorités; environ une personne tous les deux ans comparaît devant les tribunaux. Pour la plupart, ces personnes ont délibérément choisi de rendre leur geste public afin de faire avancer la cause de l'euthanasie. M. Harper, par contre, n'a rien caché à la police de Detroit, car il croyait naïvement qu'il n'avait commis aucun crime passible de poursuites.

Si un proche vous demande de l'aider à mourir, réfléchissez bien aux questions suivantes:

1. Du point de vue de votre philosophie personnelle et de votre relation avec cette personne, est-ce vraiment la bonne chose à faire?

2. Qui d'autre est au courant, ou pourrait l'apprendre? Le secret sera-t-il bien gardé?

3. Si les autorités venaient à découvrir la chose, seriez-vous prêt à en accepter les conséquences, quelles qu'elles soient?

À mon avis, avant d'accepter de donner votre assistance, vous devez répondre un OUI sans équivoque à la première et à la troisième question, tandis que la réponse à la deuxième question est affaire de jugement personnel.

Que signifie «assistance» dans ce contexte?

Assister quelqu'un dans son décès peut tout simplement vouloir dire être présent durant les faits, pour donner son amour et son soutien moral. Il n'y a rien d'illégal à cela. Vous ne pouvez pas être accusé d'avoir simplement été présent à un suicide. En réalité, l'article le plus fondamental du credo de la Hemlock Society, c'est la présence: une personne mourante ne devrait pas avoir à mourir seule. Nous considérons la solitude dans la mort comme une expérience inhumaine.

N'encouragez jamais un mourant à mettre fin à ses jours. Plutôt, amenez doucement des contre-arguments, cherchez des solutions de rechange, mettez la volonté du malade à l'épreuve. Bien des lois considèrent comme un acte criminel le fait de «conseiller et de faciliter» le suicide. De toute façon, cela est moralement inacceptable.

Ce n'est pas un crime, aux États-Unis du moins, de fournir de l'information sur la façon dont des mourants peuvent mettre fin à leur vie. Ce l'est peut-être en Grande-Bretagne, où le groupe d'euthanasie EXIT dut, en 1983, interrompre la diffusion de son livre *Guide to Self-Deliverance.* Aux États-Unis, par contre, la société Hemlock n'a jamais été poursuivie — ni menacée de poursuites — pour *Let Me Die Before I Wake* ou pour ses tableaux de dosage de médicaments.

Fournir à une personne les moyens de se suicider — médicaments, sac de plastique, bandes élastiques, etc. — pourrait fort bien être un crime, bien qu'il n'y ait aucun précédent juridique qui le confirme. Ce que les autorités vont rechercher, c'est une preuve d'intention. La société Hemlock se garde bien de toute implication en ce sens: les personnes qui optent pour l'autodélivrance ou pour l'assistance d'une personne dans l'acte d'autodélivrance doivent agir à titre personnel, avec prudence et discrétion.

Il y a cependant un aspect de l'acte d'assistance qui pourrait être susceptible d'entraîner la responsabilité criminelle: le fait de toucher la personne. Lui donner une injection, porter une tasse à sa bouche, l'aider à placer un sac de plastique sur sa tête et à le fixer en place — ce sont là des gestes que les procureurs pourraient utiliser pour appliquer les lois interdisant le suicide assisté.

Afin d'éviter tout problème éventuel, voici quelques règles de base:

1. Ne persuadez pas le mourant; il est plutôt recommandé d'essayer, jusqu'à un certain point, de le dissuader.

2. Ne le touchez pas. Ce doit être une autodélivrance.

3. Si vous devez toucher le patient parce qu'il est physiquement invalide — la sclérose latérale amyotrophique en est peut-être l'exemple le plus répandu —, une discrétion absolue avant et après le geste est de la plus haute importance.

3. Donnez réconfort et amour, et veillez à ce que la personne puisse agir en toute intimité et sécurité.

4. Assurez-vous que la personne que vous aidez a laissé une note dans laquelle elle explique les motifs de son geste et en accepte personnellement la responsabilité.

5. Avant et après, ne dites rien à qui que ce soit. Si la police vous interroge, ne parlez qu'en présence d'un avocat. Ne présumez pas être hors d'atteinte; bien des gens se sont trouvés pris au piège. Si des personnes vous posent des questions par la suite, affirmez énergi-

quement que vous n'avez donné aucun encouragement à la personne décédée, que vous ne l'avez pas touchée, et que vous étiez tout simplement présent en tant qu'observateur, parce que vous aviez une relation intime avec elle.

La loi existe pour prévenir les abus. Si votre accompagnement pour atténuer les souffrances d'un mourant qui n'en pouvait plus était un acte d'amour, justifiable sur le plan humain, alors vous n'avez rien à vous reprocher.

«...Et le reste n'est que silence», comme disait Hamlet en mourant.

* * *

Je n'insisterai jamais trop sur le fait qu'une personne (et cela comprend les médecins) ne devrait en aider une autre à mourir que si elle partage avec cette personne un lien d'amour ou d'amitié, et de respect mutuel. Sinon, elle doit s'abtenir. Il s'agit là d'un geste beaucoup trop important pour reposer sur une relation médiocre, occasionnelle ou passagère.

CHAPITRE 4

L'option de l'hospice

Il y a fort à parier qu'un ami vous dira: «Oublie l'euthanasie, pense plutôt à l'hospice.» Certainement.

Il y a deux genres d'hospices: ceux qui accueillent des malades et ceux qui dispensent des soins à domicile. Aux États-Unis, il est peu probable que vous ayez accès à un lit dans une institution, car leur nombre est restreint. En Grande-Bretagne et en France, il est possible de trouver des lits pour les cas graves. En raison de l'importance de la population, de la distance et des problèmes de financement, les États-Unis ont dû opter pour le système des soins à domicile. Il y en a toutefois de très bons.

Le service le plus précieux qu'offre l'hospice, c'est de soulager la famille du fardeau des soins à dispenser à un mourant. L'hospice peut être en mesure de fournir les services d'une personne pendant plusieurs jours, plusieurs nuits ou même une semaine, afin d'accorder un répit à un donneur de soins épuisé par le stress. Les médecins de l'hospice, qui sont particulièrement compétents dans le traitement de la douleur, font des visites à domicile.

Nous parlons essentiellement ici de bons soins médicaux pour les mourants. Il est intéressant de noter que les pays scandinaves ne permettent même pas la fondation d'hospices; pour eux, les soins à domicile font partie de l'ensemble des services médicaux offerts par leurs médecins et leurs infimières et infirmiers.

Là où ils existent, les hospices qui accueillent des malades fournissent des soins infirmiers professionnels et un excellent traitement de la douleur, dispensés par du personnel aimant et attentionné, dans un milieu libéré des nombreuses restrictions qui affectent habituellement les hôpitaux ordinaires. Pour être admis dans un hospice, vous — ou votre famille — devez accepter le fait que la mort est l'issue inévitable de votre maladie et que vous cherchez des soins, et non un traitement. Il n'y aura aucun système de maintien artificiel de la vie, comme un système d'assistance cardiorespiratoire ou d'alimentation artificielle.

On ne vous aidera pas non plus à mourir délibérément. L'hospice prendra toutes les mesures nécessaires pour soulager vos souffrances, mais il ne vous donnera aucune garantie. Tout dépend de ce que vous entendez par souffrance, qui peut revêtir bien des formes pour bien des gens.

Certains hospices sont dirigés par des communautés religieuses, tandis que d'autres sont mis sur pied pour des motifs essentiellement humanitaires, sans affiliation religieuse. Il faut d'abord vérifier si l'hospice où vous envisagez d'aller partage vos convictions morales. Sinon, il pourrait y avoir une confrontation embarrassante au moment de la prière!

La décision de mourir dans un hospice — en supposant qu'il y en ait un dans votre région — dépend de la façon dont vous et votre famille arrivez à composer avec votre maladie. Vous devez également décider si vous voulez remettre votre sort entre les mains d'un hospice et l'endurer jusqu'à la fin, ou si vous voulez garder ouverte l'option d'une mort accélérée au cas où la souffrance deviendrait intolérable.

Il y a toujours eu une alliance amicale entre de nombreux hospices américains et la Hemlock Society. Un très grand nombre de nos membres travaillent également comme bénévoles dans des hospices. En Californie, un membre éminent de la Hemlock fut pendant quelques années président de son hospice local.

Ce lien a toujours été plus prononcé sur la côte Ouest. D'après mes observations, c'est probablement parce que les hospices y sont le plus souvent dirigés par des gens animés de motifs purement humanitaires. Sur la côte Est, les hospices sont le plus souvent — mais pas uniquement — dirigés par des communautés ou des groupes religieux.

Il arrive parfois qu'une personne qui travaille dans un hospice appelle la Hemlock Society pour signaler qu'un patient lui a posé des questions sur l'euthanasie. On nous demande alors d'envoyer notre documentation directement à cette personne. Par ailleurs, notre siège social reçoit parfois des appels de certains de nos membres, désemparés, qui veulent connaître le nom de l'hospice le plus proche. C'est pourquoi la Hemlock Society tient à jour un guide géographique des hospices américains.

Bien des partisans de l'hospice croient que c'est uniquement la peur de la douleur qui pousse les gens à demander l'euthanasie. Ils répètent les affirmations de la Britannique qui a instauré les techniques d'hospice modernes, la Dr Cecily Saunders, selon laquelle l'euthanasie est complètement inutile, maintenant que l'administration précise de médicaments permet de soulager presque tous les types de douleurs.

Mais Dame Cecily et d'autres experts reconnaissent qu'il subsiste toujours environ dix pour cent de la douleur chez les malades en phase terminale. Cela laisse bien des gens dans la souffrance.

En outre, ce n'est pas seulement la douleur, ou la peur de la douleur, qui pousse de nombreuses personnes à appuyer le mouvement en faveur de l'euthanasie. Ce sont aussi les symptômes d'une maladie, et souvent les effets secondaires des médicaments, qui portent atteinte à la qualité de vie de ces personnes. Pour en donner des exemples évidemment extrêmes, une personne peut ne pas vouloir continuer à vivre avec un cancer de la gorge, après ablation de la langue et défiguration, ou atteinte d'un cancer de l'abdomen et incapable de traverser une pièce sans vider ses intestins. Si une personne trouve dans la lecture ou la télévision le plus grand réconfort de sa vie, la perte de la vue sera un très dur coup s'il s'ajoute à la certitude que la mort est imminente.

La qualité de vie, la dignité personnelle, la maîtrise de soi et, par-dessus tout, le libre choix, voilà ce qui préoccupe les hospices et le mouvement en faveur de l'euthanasie. Cependant, les hospices ne peuvent encourager une personne à choisir le moment de sa mort et la façon dont elle va mourir. C'est une décision trop intime, trop personnelle.

Les hospices et les mouvements en faveur de l'euthanasie offrent tous deux des services précieux à des personnes aux prises avec différents problèmes.

CHAPITRE 5

L'énigme du cyanure

La mort par ingestion de cyanure est-elle le meilleur moyen d'autodélivrance? Est-elle aussi rapide que dans les films de James Bond, soit 12 secondes? Le cyanure provoque-t-il de la douleur? Est-il toujours efficace? Ce sont là des questions qu'on me pose sans cesse.

Certains des suicides les plus célèbres de l'histoire moderne ont été provoqués par l'ingestion de cyanure. En 1945, à Nuremberg, Hermann Goering a échappé à la potence en avalant du cyanure contenu dans une ampoule de verre, dissimulée à l'intérieur d'une cartouche de cuivre introduite clandestinement dans sa cellule. En 1937, Wallace Carothers, inventeur du nylon et détenteur d'un doctorat en chimie organique, s'est suicidé dans une chambre d'hôtel de Philadelphie en buvant du cyanure de potassium dissous dans du jus de citron.

Concepteur de la théorie de l'ordinateur dans les années 30 et sans doute l'un des génies les plus méconnus du monde, Alan Turing s'est enlevé la vie en 1954 alors qu'il traversait une période de stress. Comme Blanche-Neige, il a croqué dans une pomme empoisonnée.

Mais Turing avait trempé son fruit dans une solution de cyanure de potassium et, à la différence du personnage du conte de fées, personne n'est venu le tirer de son sommeil.

En 1978, à Jonestown, en Guyane, environ 800 des 913 personnes qui sont mortes lors de ce drame avaient avalé du cyanure de potassium dissous dans une boisson sucrée. Les adultes l'ont bu directement; tandis que dans le cas de nombreux enfants, on a utilisé des seringues pour leur introduire le poison dans la bouche.

Dans ce que je considère comme le compte rendu le plus fidèle de cette tragédie, le journaliste Tim Reiterman, de San Francisco, qui avait été blessé dans la fusillade qui précéda le suicide et les meurtres collectifs, rapporte que «les parents et grands-parents pleuraient de façon hystérique en regardant leurs enfants mourir — d'une mort lente et douloureuse. Les victimes étaient prises de convulsions et de vomissements à mesure que le poison faisait son effet. Ils passèrent plusieurs minutes à vomir, à saigner et à crier.» (*Raven: The Untold Story of the Rev. Jim Jones and his People*, Dutton, New York, 1982.)

Nous ignorons si Goering, Turing et Carothers ont souffert. Voilà l'énigme de la mort par cyanure: c'est habituellement un geste solitaire. Un nombre remarquablement restreint de ceux qui ont fait la tentative ont survécu pour raconter l'expérience. Il semble clair, toutefois, que les victimes de Jonestown ont connu d'horribles souffrances.

Même dans certains cas bien planifiés de suicide par ingestion de cyanure, la mort n'est pas toujours certaine. En 1987, à Bahrein, deux terroristes, un homme et une femme qu'on interrogeait à propos de l'explosion d'un avion, avalèrent des pilules de cyanure insérées dans des cigarettes. «Ils s'écroulèrent aussitôt par terre et leurs corps devinrent très rigides», relata un témoin oculaire. L'homme mourut quatre heures plus tard; sa complice se rétablit et dut subir son procès.

Au cours d'une arrestation en rapport avec le meurtre de 25 personnes dans le nord de la Californie en 1985, un suspect avala une pilule de cyanure qu'il gardait en sa possession. Il mourut quatre jours plus tard à l'hôpital.

Il est clair, selon les experts, que c'est la méthode d'autodestruction la plus efficace: selon un article du New York Times, paru le 4 août 1987, plus de 40 p. cent des suicides chez les chimistes, hommes et femmes, se font par ingestion de cyanure.

Voici ce que m'a raconté le fils d'un chimiste du New Jersey: «Après sa retraite, mon père, qui était atteint d'un grave cancer de la prostate, a commencé à songer à mettre fin à sa vie. Il s'est rendu chez un fournisseur de produits chimiques et a acheté une bouteille d'environ 12 onces de ferrocyanure, ainsi que quelques autres produits chimiques connexes, afin de ne pas éveiller les soupçons. Il était très direct et ouvert à ce propos avec nous. Sur la bouteille de ferrocyanure, il écrivit: «Voici mon contrôle.» Environ six mois plus tard, il en a dissous une cuillérée à thé dans un demi-verre d'eau et a ajouté un peu de vinaigre pour favoriser la libération du cyanure gazeux, même si l'acide naturel présent dans l'estomac est probablement suffisant. Il est mort quelques instants plus tard dans les bras de ma mère, sans aucune manifestation de douleur ou de violence.»

Un médecin m'a relaté le cas d'un de ses amis, professeur d'université, qui avala une capsule de cyanure avec un verre de limonade forte. On le trouva mort le lendemain, assis dans son fauteuil, dans une attitude détendue.

Un rare témoignage oculaire a été publié dans le journal londonien *Today*, le 16 septembre 1987. Une femme de 27 ans, gravement handicapée à la suite d'un accident de la route, choisit de s'enlever la vie en sirotant du cyanure et de l'eau à l'aide d'une paille. Une de ses amies, qui était présente, prit une photo et enregistra ses dernières volontés. Selon l'article, la jeune femme mourut paisiblement, 13 secondes après avoir bu le mélange.

Par contraste, voici l'opinion d'un de mes amis, médecin, qui dit avoir eu connaissance directe d'un suicide par cyanure qui fut «horrible et violent, caractérisé par de fréquentes convulsions tétaniques à l'état d'éveil. Ce fut extrêmement pénible. Je ne le recommanderais absolument pas.»

D'autres médecins à qui j'ai parlé du cyanure ont déploré le manque de connaissances médicales sur le sujet. Tous avaient l'impression que c'était un moyen pénible malgré sa rapidité. Ils n'y recourraient eux-mêmes qu'en tout dernier recours.

Nous détenons certains renseignements sur les effets de l'acide cyanhydrique (HCN), par les comptes rendus des États américains qui ont exécuté des meurtriers au moyen de chambres à gaz. Les témoignages varient, mais il semblerait que la perte de conscience soit instantanée et que la mort surviendrait dans les cinq à dix minutes suivant l'inhalation. Dans certains États, on administre au condamné, qui est attaché sur une civière, une dose massive de médicaments par injection intraveineuse. On lui administre d'abord du thiopental sodique pour l'endormir, puis du pavulone, un relaxant musculaire semblable au curare, le poison sud-américain, en même temps que du chlorure de potassium pour provoquer l'arrêt cardiaque.

Selon les comptes rendus, la perte de conscience serait presque immédiate et la mort suivrait dans les 10 minutes. Les médecins et les infirmiers et infirmières ont toujours refusé — et ont été appuyés en cela par leurs corporations professionnelles — de participer à des exécutions. Cela est parfaitement compréhensible, mais il est possible que cette absence ait occasionné des problèmes: une personne sans formation peut avoir du mal à donner correctement une injection.

Aux Pays-Bas où, depuis près de 10 ans, le suicide assisté est largement pratiqué avec le consentement des tribunaux, les médecins ne veulent même pas envisager le cyanure, bien qu'un nombre important de patients choisissent de s'administrer eux-mêmes du poison. Les médecins ont préparé d'autres mélanges qu'ils considèrent supérieurs; nous y reviendrons dans un autre chapitre. Il est difficile d'établir si leur refus découle d'un préjugé contre le cyanure en tant que moyen odieux utilisé par des suicidaires perturbés émotivement, ou s'il repose sur un jugement scientifique. Le Dr Admiraal m'a dit: «Je n'ai aucune expérience du cyanure. Selon les rumeurs, c'est horrible à voir... des crampes et des vomissements... avec de longues minutes de conscience.»

Selon les manuels, l'acide cyanhydrique et ses sels de sodium et de potassium seraient les poisons les plus puissants et les plus rapides que l'on connaisse. On trouve du cyanure dans bien des raticides et dans les noyaux de la plupart des fruits, surtout les cerises, les prunes et les abricots. Le cyanure revêt différentes formes: acide cyanhydrique, nitroprussiates, cyanure de potassium et cyanure de sodium. On l'appelle également acide prussique. Les composés cyanurés ont de nombreuses applications industrielles: électroplacage, extraction du minerai, photographie, polissage des métaux et fumigation des entrepôts et des navires. L'inhalation de 50 mg d'acide cyanhydrique provoque la mort, tandis qu'il faut ingérer de 200 à 300 mg du sel de potassium ou de sodium pour obtenir le même résultat.

«Si l'on a absorbé de grandes quantités, l'effondrement est habituellement instantané: le patient perd connaissance, souvent en poussant un cri déchirant, et meurt presque instantanément. C'est ce qu'on appelle la "forme apoplectique" de l'empoisonnement au cyanure.» (*Poisoning: Toxicology, Symptoms, Treatments*, par Jay M. Arena et Chas. C. Thomas, Illinois.) La plupart des manuels font état de «convulsions, de coma et de mort en cinq minutes» en relation avec le cyanure. Les articles de journaux et les manuels qui traitent du suicide signalent presque toujours une forte odeur d'amandes et la présence d'écume autour de la bouche de la victime.

«Si l'estomac est vide et que l'acidité gastrique est forte, l'empoisonnement est particulièrement rapide. Après de fortes doses, certaines victimes n'ont eu que le temps de crier, avant de soudainement perdre conscience.» (*Clinical Toxicology of Commercial Products. Acute Poisoning*. Gosselin, Hodge, Smith et Gleason. 4e édition. Williams and Wilkins. Baltimore et Londres.)

De 1940 et 1945, les nazis ont exterminé des millions de juifs, de gitans, d'homosexuels, de dissidents politiques et d'handicapés mentaux et physiques, principalement au moyen d'un gaz d'acide de cyanure, qu'ils appelaient le Zyklon B. Si les motifs des nazis étaient barbares, inhumains et impardonnables, la mort elle-même était rapide — ce qui constitue une bien mince consolation pour les familles des victimes. Après la guerre, lors du procès de Nuremberg et d'autre procédure judiciaire, les criminels nazis ont reçu le châtiment qu'ils méritaient. Pour leur rôle dans ce qu'ils qualifaient eux-mêmes d'«euthanasie miséricordieuse» des handicapés, quatre médecins furent pendus à Nuremberg et cinq autres furent condamnés à l'emprisonnement à vie. D'autres furent appréhendés et jugés ultérieurement. C'était, de la part de ces membres de la profession médicale, une perversion qu'il ne faudra jamais laisser se reproduire.

Dans les années 80, la situation des personnes souffrantes ou des malades en phase terminale était aussi tragique en Allemagne qu'ailleurs. Malgré l'horrible connotation que les atrocités nazies donnèrent au mot «euthanasie» (qui signifie «aider en procurant une bonne mort»), certaines personnes ont senti la nécessité d'une action compatissante pour aider les mourants. En 1980, une société pro-euthanasie, la *Deutsche Gesellschaft Für Humanes Sterben* (DGHS, Société allemande pour une mort humaine), fut fondée par un petit groupe de braves, sous la direction de Hans Henning Atrott.

À la différence de ce qui est arrivé dans d'autres pays, la DGHS découvrit qu'elle n'avait pas besoin de faire campagne pour faire modifier la loi sur le suicide assisté. Il n'existait en effet aucune interdiction juridique au fait d'aider une autre personne à mourir dans des circonstances justifiées, pourvu que la demande d'aide fût claire et convaincante. La situation fut mise à l'épreuve en 1983, lorsque le Professeur Hackethal aida ouvertement une victime du cancer à mourir. Certaines autorités voulurent alors le poursuivre, mais la loi protégeait Hackethal, comme elle en protégea d'autres qui suivirent son exemple par la suite.

La société allemande pour l'euthanasie, qui compte un grand nombre d'adhérents et plusieurs sections locales, a beaucoup fait pour favoriser l'acceptation publique de l'euthanasie volontaire et justifiée pour les malades en phase terminale. Elle considère les atrocités nazies d'il y a 50 ans comme une tranche d'histoire à ne jamais oublier, mais estime néanmoins que cet événement ne devrait pas, aujourd'hui, empêcher la compassion envers les mourants qui souffrent.

Hans Atrott m'a écrit qu'il connaît plus de 300 personnes qui se sont enlevé la vie en ingérant du cyanure afin de mettre un terme à leurs souffrances. Il y a assisté à plusieurs reprises. Selon son organisation, c'est de loin la meilleure méthode, mais il faut l'utiliser avec certains raffinements.

Correctement pratiquée, soutient Atrott, la mort par cyanure n'est pas du tout violente, mais plutôt douce et rapide. «Quiconque a été témoin d'une autodélivrance par cyanure correctement pratiquée n'hésiterait pas à recourir à ce moyen», prétend-il. Il attribue la mauvaise réputation du cyanure au fait que la documentation médicale a du mal à faire la distinction entre les propriétés et l'utilité respective de l'acide cyanhydrique (HCN) et du cyanure de potassium (KCN).

La DGHS a appris de la science médicale et par expérience que le KCN est le seul agent utile en cas de suicide. Cette affirmation est corroborée par les cas que j'ai étudiés ailleurs dans le monde. Voici la technique recommandée par la DGHS:

1. Verser de l'eau froide du robinet dans un petit verre. (Pas d'eau minérale, ni aucune espèce de jus ou d'eau gazéifiée, qui sont trop acides.)

2. Mélanger 1 gramme, ou 1,5 gramme tout au plus, de KCN (cyanure de potassium) dans l'eau. (Une plus grande quantité brûlerait la gorge.)

3. Après environ cinq minutes, le KCN est dissous et peut être bu. Il demeure buvable pendant plusieurs heures, mais pas davantage.

4. Après l'ingestion du mélange, la perte de conscience survient en une minute, soit le temps nécessaire pour rincer le verre (afin d'éviter que quelqu'un d'autre ne l'utilise accidentellement) et pour s'allonger. Mais

attention: une personne affaiblie à l'extrême par la maladie pourrait s'évanouir en 20 secondes.

5. Pendant le coma, la personne mourante respirera très profondément ou ronflera, comme les gens qui ont pris une surdose mortelle de barbituriques. La mort surviendra en 15 minutes, tout au plus en 45 minutes, selon la constitution de la personne et selon que son estomac est vide ou plein. La mort sera plus rapide si l'estomac est vide.

Atrott fait remarquer que, dans le cas d'un malade en phase terminale, la mort est si paisible qu'il arrive souvent que les médecins ne détectent pas le suicide et signent le certificat de décès en attribuant la mort à des causes naturelles. Bien sûr, une autopsie révélerait la vérité. Ce qui fait l'ingéniosité de la méthode de la DGHS, c'est que, pendant que la personne boit le cyanure de potassium, l'eau le transforme en acide cyanhydrique. Les manuels spécialisés confirment ce fait: les moutons qui mangent des plantes contenant du cyanure ne meurent pas — pourvu qu'ils ne boivent pas d'eau. S'ils boivent, la mort est inévitable.

Les gens qui travaillent dans l'industrie chimique ou dans d'autres secteurs industriels peuvent se procurer aisément du cyanure de potassium, s'ils connaissent des fournisseurs et ont une raison d'en acheter. Il est cependant difficile d'en obtenir par d'autres voies, parce que son effet létal est notoire.

Tous ces témoignages m'amènent à conclure que ce moyen semble efficace pour l'autodélivrance d'un malade en phase terminale — à condition de l'utiliser avec le plus grand soin. Mal utilisé, le cyanure peut provoquer une mort extrêmement douloureuse, violente en réalité. Aucune personne attentionnée ne voudrait que ses proches ou ses amis soient témoins d'une telle expérience. Je demeure donc sceptique quant à la possibilité d'une mort paisible par ingestion de cyanure sous quelque forme que ce soit.

CHAPITRE 6

Mourir comme à Hollywood?

Depuis la fondation de la Hemlock Society en 1980, voici la question qu'on me pose le plus souvent, par téléphone ou par lettre: peut-on obtenir une autodélivrance digne et sans douleur en s'injectant de l'air dans les veines? Cette méthode antiseptique de mort accélérée — apparemment propre, sans effusion de sang, clinique, rapide et sans douleur — fascine de toute évidence bien des gens.

Depuis l'apparition du roman policier dans les années 20, certains auteurs, notamment Dorothy L. Sayers, ont conféré à cette méthode un certain prestige. Chaque fois qu'un film hollywoodien commande un suicide, il semble que l'injection de bulles d'air soit la méthode préférée des réalisateurs. Par exemple, dans *Coming Home*, un film de 1978 avec Jane Fonda et Jon Voight, qui met en scène d'anciens combattants de retour de la guerre du Vietnam, on entrevoit un homme en train de se suicider en s'injectant de l'air au moyen d'une seringue.

Dans un épisode de la série télévisée *St. Elsewhere*, dont l'action se situe dans un hôpital, on voit un jeune homme qui s'enlève la vie de cette manière. «Cela semblait si facile, m'a écrit un membre de la Hemlock Society. Est-ce que ce l'est vraiment?»

La documentation médicale disponible fait état d'un seul cas, survenu dans des circonstances ambiguës. En 1949, le Dr Herman Sander, un omnipraticien du New Hampshire, injecta 40 cc d'air dans les veines d'un patiente atteinte du cancer, Mme Abbie Burotto, âgée de 59 ans. Celle-ci en était aux derniers stades de sa maladie. Malheureusement, le Dr Sander inscrivit dans les registres de l'hôpital: «Ai administré à la patiente 10 cc d'air par voie intraveineuse, ai répété quatre fois. Ai constaté son décès 10 minutes après le début de l'opération.»

Un préposé aux registres remarqua cette inscription inhabituelle et la signala à ses supérieurs. Le Dr Sander fut immédiatement arrêté.

L'affaire devint une cause célèbre au chapitre de l'euthanasie et suscita l'attention du public, en grande partie favorable au Dr Sander. Lors de son procès, en 1950, le Dr Sander plaida non coupable à l'accusation de meurtre au premier degré et nia que la mort de la patiente avait été provoquée par l'injection d'air. Un médecin témoigna qu'il n'avait pas perçu de pouls chez Mme Burotto lors d'un examen pratiqué le matin même de sa mort, et qu'elle aurait bien pu avoir expiré avant que le Dr Sander ne lui fasse l'injection. Une infirmière affirma également que, selon elle, la patiente était morte avant que les deux médecins ne la voient.

Bien qu'il ne fût trouvé coupable d'aucun crime, le Dr Sander se fit révoquer son permis de pratiquer la médecine. Il y eut un tollé dans le public et il fut plus tard rétabli dans ses fonctions. On dit que sa clientèle augmenta substantiellement par la suite.

Mais cette méthode est-elle efficace? Cette forme d'euthanasie est-elle d'un usage facile pour le patient ou le médecin?

D'abord, elle est probablement détectable au cours d'une autopsie, parce que les bulles d'air se concentreraient probablement dans la partie droite du cœur. D'après la plupart des médecins qui se sont penchés sur la question, même si des bulles d'air peuvent se rendre jusqu'aux poumons, l'embolie coronarienne elle-même empêche quoi que ce soit de passer aux poumons.

Un professeur d'anatomie m'a dit: «Il est impossible, bien sûr, de dire quelle sensation cela provoque, car je ne crois pas que quiconque ait survécu à l'injection d'une quantité d'air suffisante pour remplir les cavités du cœur. De plus petites quantités d'air pourraient parvenir jusqu'aux poumons, entraînant une interruption progressive de l'activité pulmonaire, probablement sans grande sensation.»

Le Dr Colin Brewer, médecin et psychiatre londonien, qui étudie depuis 20 ans toutes les formes d'euthanasie, partage cet avis: «D'après ce que je me rappelle de mes cours de médecine, l'embolie gazeuse provoque certainement une mort rapide, bien que je ne sache pas si c'est une mort particulièrement indolore. Et comme elle est extrêmement rare, je ne crois pas non plus que beaucoup d'autres personnes le sachent. Il faudrait certainement injecter une bonne quantité d'air très rapidement, sinon l'air sera absorbé avant que le sang n'atteigne le cœur. Les infirmières s'appliquent généralement à éliminer jusqu'à la dernière bulle d'air de tout ce qu'elles s'apprêtent à injecter, mais selon moi, il leur faudrait injecter au moins 20 cc, ce qui constitue une grande quantité d'air. L'air doit être injecté dans une veine, et j'imagine que bien des gens ne trouveront pas cela facile à faire eux-mêmes, surtout s'ils sont âgés, car les veines des personnes âgées ont tendance à être difficilement accessibles.»

Le professeur Yvon Kenis, un oncologue qui dirige également une société belge d'euthanasie, me dit qu'au cours de sa longue carrière il n'a jamais rencontré de cas de décès accidentel par injection d'air, bien qu'on lui en ait exposé les risques à l'école de médecine.

«Je ne crois pas qu'il s'agisse d'une méthode pratique, ni d'une mort douce pour les humains, dit-il. En particulier, elle serait extrêmement difficile à utiliser comme méthode de suicide. Durant l'injection, une certaine quantité d'air peut provoquer un arrêt cardiaque temporaire, et une perte de conscience. Cela peut être réversible, mais entraîner des conséquences très graves, comme la paralysie ou des lésions permanentes au cerveau. Je dois souligner que ce n'est qu'une impression et que je n'ai aucune véritable information scientifique à ce sujet.»

Selon l'expert mondial de l'euthanasie pratique, le Dr Pieter V. Admiraal, qui habite aux Pays-Bas et est l'auteur de *Justifiable Euthanasia: a Guide to Physicians*, la méthode du suicide par injection d'air est impossible, pénible et cruelle. «Pour tuer quelqu'un par cette méthode, il vous faudrait lui injecter de 100 à 200 ml d'air au moins, aussi rapidement que possible dans une veine aussi grosse que possible, près du cœur. Il vous faudrait remplir d'un seul coup tout le cœur avec de l'air. Le cœur continuerait probablement à battre pendant plusieurs minutes, peut-être de 5 à 15 minutes, et durant les premières minutes, la personne serait peut-être consciente.»

Il est clair dès lors que toute tentative de mort par embolie gazeuse convient très peu à l'autodélivrance ou à l'euthanasie assistée.

CHAPITRE 7

Quelques façons bizarres de mourir

Je ne veux pas vraiment écrire ce chapitre, mais j'ai le devoir de le faire. Des gens m'écrivent presque tous les jours pour me faire part des méthodes d'autodestruction dont ils ont entendu parler ou qu'ils ont eux-mêmes inventées. Je passe une bonne partie de mon temps à leur répondre: «Non, je ne vous recommande pas cette méthode.»

Une importante proportion du public est fascinée par les façons curieuses et étranges de se donner la mort. Je parlerai donc, ici, du suicide bizarre; sinon, les personnes déçues risquent de faire augmenter considérablement le volume de mon courrier.

D'abord, permettez-moi d'exposer certaines méthodes de suicide vraiment bizarres.

Un jour de 1986, le soleil se leva sur Seattle en déclenchant un dispositif qui tua son inventeur. Cet homme, un ingénieur en électronique perturbé et malheureux, avait installé une cellule photoélectrique dans la fenêtre de sa chambre de motel. La cellule était reliée par un fil à des éléments électriques qu'il avait placés sur sa poitrine. La lumière du soleil chauffa les éléments, qui à leur tour firent détonner un pétard. L'explosion du pétard libéra le percuteur d'une arme à feu qui lui logea une balle dans le cœur. Pour un homme ayant ce genre d'intérêts, c'était, je suppose, une grande sortie.

Dans le sud de la Californie, un homme déprimé, collectionneur de serpents à sonnettes dans ses loisirs, laissa l'un de ses reptiles le mordre cinq ou six fois à la main droite. Il fut terrassé par une crise cardiaque foudroyante.

Un autre cas, survenu en 1987, témoigne d'une détermination difficile à surpasser. En Angleterre, un homme de 22 ans, que sa petite amie avait laissé, se jeta tour à tour devant quatre voitures et un camion, essaya de s'étrangler puis sauta par une fenêtre. Il fut traité à l'hôpital pour blessures mineures!

En Autriche, un sidéen de 23 ans se tua en dirigeant délibérément sa voiture vers un train qui fonçait sur lui. Foncer en auto sur des murs ou des arbres est une méthode de suicide fréquente, d'autant plus attirante qu'elle laisse l'espoir que le suicide sera perçu comme un accident. Selon les statistiques gouvernementales, environ 30 000 personnes se suicident chaque année aux États-Unis, ce qui n'est certainement pas le taux le plus élevé du monde. Les spécialistes du comportement suicidaire soutiennent toutefois que le taux réel est certainement deux fois, voire trois fois plus élevé, car un grand nombre de suicides ne sont pas déclarés.

Je n'exposerai pas en détail les méthodes de suicide par électrocution, pendaison, noyade, ou au moyen d'arme à feu, de gaz, de plantes toxiques et de produits de nettoyage domestiques, car elles sont toutes inacceptables pour ceux qui, comme moi, croient en l'euthanasie volontaire pour les malades en phase terminale. Mais je détaillerai leurs inconvénients et la raison de mes objections.

ÉLECTROCUTION. Il arrive que des ouvriers soient tués par des chocs électriques, mais certains ont survécu miraculeusement. La décharge électrique entraîne parfois une grave paralysie et une détérioration physique. De nos jours, la plupart des systèmes électriques sont si bien protégés par des fusibles et des disjoncteurs qu'ils se court-circuitent automatiquement en cas de surcharge. Certaines personnes me disent qu'elles réaliseront leur autodélivrance en prenant un bain et en tirant dans l'eau un radiateur électrique. Il n'est pas sûr que cela fonctionne. Rappelez-vous également que la personne qui vous découvrira risque elle aussi d'être électrocutée. À moins que vous ne soyez un ingénieur astucieux et accompli, l'électricité n'est pas conseillée aux fins d'autodélivrance.

PENDAISON. L'autodestruction par pendaison est presque toujours un geste de protestation, qui provient du désir de choquer et de blesser quelqu'un. Par conséquent, la plupart des gens qui pratiquent l'euthanasie s'en abstiennent. Toutefois, au moins un membre de la Hemlock Society n'est pas de cet avis. «Tout ce qu'il faut, c'est 15 minutes sans être dérangé, et une corde... Pas besoin de l'assistance d'un médecin... C'est très rapide... La perte de conscience survient en quelques secondes et la mort en quelques minutes. C'est sans douleur.» Cependant, lorsque je lui ai demandé s'il permettrait à sa famille ou à des amis proches de le trouver, il m'a répondu par la négative. Même si l'on confie à un policier ou à un infirmier le soin de décrocher le cadavre, je crois encore que c'est une manière beaucoup trop égoïste de mourir. Je ne connais aucun cas d'autodélivrance par pendaison chez les membres des sociétés d'euthanasie.

NOYADE. En eaux très froides, la mort vient rapidement par hypothermie. Plus la température est basse, plus la mort est rapide. Mais il y a toujours la possibilité d'un sauvetage. Et pour les parents de la victime, cette manière de mourir laisse sans réponse les questions suivantes: Était-ce délibéré? Trouvera-t-on le cadavre? Y aura-t-il des recherches approfondies, même si cela coûte cher aux fonds publics?

ARMES À FEU. Ce n'est certainement pas une sortie de choix pour ceux qui croient en l'euthanasie. J'ai eu connaissance de quelques cas de personnes qui se sont tuées au moyen d'une arme à feu pour échapper à leurs souffrances, souvent causées par un emphysème avancé. Les femmes recourent à cette méthode beaucoup moins souvent que les hommes. Aux États-Unis, c'est la méthode employée pour 50 à 60 p. cent de tous les suicides. Selon les rapports, la méthode la plus courante consiste à introduire le canon de l'arme dans la bouche et à tirer vers le haut, en direction du cerveau. Certains se sont tiré une balle dans la tempe, ont raté le point vital et ont survécu. D'autres se tirent une balle dans la poitrine, en direction du cœur. Mais même cette méthode n'est pas infaillible. En 1945, au moment où les troupes d'occupation américaines approchaient de sa maison à Tokyo, le général Tojo, premier ministre japonais, se préparait à se tuer. Il avait demandé à son médecin de faire une marque à la craie sur sa poitrine, à l'emplacement du cœur. À l'arrivée des soldats américains, il se tira une balle de Colt .32 dans la poitrine. Il rata la cible et, gravement blessé, survécut assez longtemps pour être jugé pour crimes de guerre. Le général Tojo fut pendu trois ans plus tard. La documentation médicale rapporte le cas d'un homme, angoissé à l'idée de se rater, qui se mit un pistolet .32 contre une tempe et un pistolet .22 contre l'autre. Il appuya simultanément sur les deux gâchettes et obtint évidemment le résultat désiré.

Les armes de gros calibre sont les plus efficaces et les balles à pointe creuse produisent une blessure plus importante. Une arme de calibre .22 est rarement mortelle, et il est souvent arrivé que des personnes déterminées à se suicider avec une telle arme doivent tirer deux fois. Une arme à feu provoque certainement une mort violente et sanglante, mais plusieurs préfèrent cette technique parce qu'elle est rapide, certaine et sans douleur. Cette méthode n'est pas favorisée par le mouvement en faveur de l'euthanasie parce qu'elle produit des dégâts (qui nettoiera?) et qu'elle doit être un geste solitaire, ce qui va à l'encontre du credo du droit de mourir, qui préconise le partage de l'expérience de la mort.

ASPHYXIE PAR LES GAZ D'ÉCHAPPEMENT D'UNE VOITURE. L'auto-asphyxie, réalisée en laissant pénétrer dans la cabine des passagers les émissions du système d'échappement d'un moteur tournant au ralenti, constitue pour certains une façon idéale de mourir, particulièrement pour les couples âgés qui veulent partir ensemble. Tout ce qu'il faut, c'est un boyau qu'on fixe à l'extrémité du tuyau d'échappement et qu'on fait pénétrer par une fenêtre, qui doit ensuite être scellée. Un petit garage bien fermé permet de se passer de boyau, mais il faut s'assurer que le réservoir d'essence soit plein et que le moteur tourne au ralenti pendant deux ou trois heures. Les principaux inconvénients de cette méthode sont la possibilité que le moteur s'arrête et la forte chance qu'on soit découvert. Le délai nécessaire pour que la méthode soit fatale dépend de la densité des gaz, mais il semble que l'inconscience précède une mort lente et paisible. Quelques partisans de l'euthanasie optent pour cette forme d'autodélivrance.

FOURS À GAZ. Cette méthode n'est plus praticable, depuis que le gaz naturel, pompé à même le sol, a remplacé l'ancien gaz fabriqué dans des cornues, qui était à la fois mortel et explosif.

PRODUITS DE NETTOYAGE ET DE DÉBOUCHAGE. On trouve, sous presque tous les éviers de cuisine, les moyens de se donner la mort. L'eau de Javel, la soude caustique et les liquides pour déboucher la tuyauterie peuvent provoquer la mort. Cette façon de mourir est extrêmement pénible et, dans certains cas, il est possible d'être secouru. J'ai déjà entendu parler de personnes qui avaient avalé de la soude caustique, puis s'étaient jetées par une fenêtre pour mettre un terme à leur agonie.

CHARBON DE BOIS. Des gens sont morts accidentellement après avoir allumé des feux de charbon dans des tentes ou à l'intérieur, au lieu de le faire en plein air. Certains ont heureusement été découverts et rescapés à temps. Cette méthode est beaucoup trop incertaine pour qu'on en prenne le risque pour l'euthanasie. D'autres vies pourraient être mises en danger en cas d'explosion. Un nombre étonnant de personnes envisagent sérieusement cette méthode, que je déconseille toujours.

PLANTES TOXIQUES. Bien des gens sont obsédés par la pensée de se donner une mort naturelle en ingérant une plante toxique, qu'ils iraient simplement cueillir dans leur jardin. Mon courrier est rempli de telles demandes. Oui, il est vrai que la ciguë aquatique, la digitale, le laurier-rose et quelques autres plantes peuvent être mortellement toxiques. Mais quelle est la dose mortelle? Personne ne le sait, puisque cela dépend de l'âge de la plante, de l'état de la personne, du contenu de l'estomac et de bien d'autres facteurs. Ce qui pourrait tuer un enfant — victime fréquente de ce genre d'accidents — ne tuerait pas un adulte. Les textes spécialisés indiquent toujours que cet empoisonnement est risqué et douloureux. Les symptômes vont de la nausée et des vomissements aux crampes et à la diarrhée sanguinolente. Les effets secondaires comprennent des brûlures à la bouche, des étourdissements et des troubles visuels. Dans un compte rendu sur des patients en gériatrie qui avaient délibérément mangé des feuilles de laurier-rose, le *Western Journal of Medicine* de décembre 1989 signalait que certains étaient morts, tandis que d'autres avaient survécu, selon leur âge, l'état de santé de leurs organes, l'espèce de laurier-rose et la préparation du poison. De plus, même si l'identification scientifique des plantes existe depuis le Moyen Âge, la toxicologie végétale est loin d'être une science exacte. Elle dépend trop du lieu de croissance et du moment de la cueillette. En somme, je considère les plantes toxiques comme une forme de sortie beaucoup trop risquée et pénible. Même si vous êtes désespéré, n'y songez même pas!

GEL. Moins bizarre qu'elle n'y paraît, cette méthode, pour laquelle j'ai un certain respect, consiste à mourir de froid, au sommet d'une montagne. Il faut avoir une certaine force de caractère pour vouloir mourir de cette façon, car cela exige de la détermination, une connaissance des montagnes et un courage inébranlable. Il faut être suffisamment en forme pour faire le voyage. J'ai connu quelques personnes en phase terminale qui ont tranquillement escaladé une montagne à la tombée du jour et se sont rendues au-delà de la ligne de gel pour cette période de l'année. Elles ont utilisé les transports publics, afin d'éviter qu'on repère une voiture stationnée. Puis, vêtues légèrement, elles se sont installées dans un coin retiré pour attendre la fin. Certaines ont dit qu'elles avaient l'intention de prendre un tranquillisant pour hâter le sommeil de la mort. D'après ce que nous savons de l'hypothermie, l'évanouissement survient quand le froid atteint un certain degré et la mort arrive au bout de quelques heures. Bien entendu, dans une région au climat très froid, il n'est pas nécessaire de se rendre sur le sommet d'une montagne.

Cette idée vient des Esquimaux, qui se rendaient sur des banquises, et des Japonais, qui escaladaient des montagnes. Dans le folklore japonais, si la personne était trop mal en point pour faire l'escalade, son fils devait la porter sur son dos. Rappelez-vous, toutefois, que les Esquimaux pratiquaient cette forme d'euthanasie afin de se défaire des aînés et de permettre à la tribu de se déplacer assez rapidement dans la toundra pour chasser le gibier. Les Japonais y avaient recours quand la famille n'avaient plus les moyens d'assurer la subsistance des personnes âgées. Je ne crois pas que cette pratique subsiste aujourd'hui chez ces deux peuples, mais quelques partisans de l'euthanasie l'ont adoptée.

MÉDICAMENTS EN VENTE LIBRE. Je reçois tous les jours des lettres de gens frustrés de ne pas pouvoir se procurer de médicaments mortels auprès de leur médecin, et qui me demandent si tel ou tel médicament en vente libre est mortel. Certes, il est possible de s'enlever la vie en prenant certains médicaments disponibles sans ordonnance médicale, mais, si la tentative n'échoue pas, la mort sera lente et pénible. Par exemple, de fortes doses de médicaments comme l'aspirine brûleront l'intérieur de l'estomac pendant plusieurs jours. Certains médicaments agissent si lentement, que la découverte et le traitement à l'hôpital sont pour ainsi dire inévitables. Il y a également la possibilité d'une détérioration cérébrale ou physique permanente. Je ne saurais trop insister sur ce point: n'utilisez pas de médicaments en vente libre pour l'autodélivrance. Ils annoncent le désastre.

CHAPITRE 8

Le dilemme des quadriplégiques

Peu de quadriplégiques désirent s'enlever la vie, mais certains le souhaitent. Je parlerai donc ici de ces rares cas.

Aucun aspect de l'euthanasie n'est plus controversé que celui qui se rapporte aux cas de personnes handicapées. Il suffit que j'en fasse mention pour que mes critiques m'accusent d'être un nazi désirant se débarrasser de ces «fardeaux pour la société». Ce n'est pas du tout mon intention. Je respecte le droit de cette minorité de quadriplégiques qui désirent — maintenant ou plus tard — recourir à l'autodélivrance sans se faire sermonner ni être traités avec condescendance par la droite religieuse bien-pensante.

À la différence de mon autre livre sur les méthodes d'autodélivrance, *Let Me Die Before I Wake*, je ne citerai pas ici de cas précis. Je ferai toutefois une exception pour exposer le cas de James Haig, car son histoire m'a profondément marqué. En 1980, j'assistais à une conférence mondiale sur l'euthanasie à Oxford, en Angleterre, quand un jeune homme en fauteuil roulant vint me demander de lui accorder un entretien privé.

Il avait été victime d'un grave accident quand sa motocyclette était entrée en collision avec une voiture et il était resté, à l'âge de 24 ans, paralysé à partir du cou. L'usage restreint des doigts de sa main droite lui permettait de manœuvrer un fauteuil roulant électrique. Pendant quatre ans, James tenta d'encaisser le choc: de sportif actif, mari et père, il était devenu un quadriplégique de 38 kilos. Il avait été traité dans les meilleurs hôpitaux et avait reçu un counselling psychologique complet. L'assurance-accident lui avait laissé suffisamment d'argent pour vivre confortablement.

Mais James n'acceptait pas sa condition. Il demanda le divorce malgré l'opposition de sa femme, puis adhéra à EXIT, la société britannique en faveur de l'euthanasie volontaire. Cependant, il découvrit bientôt que même si cette société lui était sympathique, elle ne pouvait pas l'aider directement. James tenta par deux fois de s'enlever la vie. Un jour, il tenta de se noyer, mais son fauteuil roulant s'embourba près du rivage. Une autre fois, il demanda à un ami de lui administrer des médicaments dans une chambre de motel, mais l'ami changea d'avis. Le cas de James Haig devint si notoire — et si émouvant — qu'on en fit grand cas dans les journaux londoniens.

Lors de cette rencontre à Oxford, James m'expliqua sa philosophie. Il me dit qu'en dépit de tous les soins et de tout l'amour qu'on lui avait prodigués, et malgré son aisance financière, il ne pouvait tout simplement pas continuer à vivre dans cet état. Il voulait mourir. «Aidez-moi à mourir, Derek», implora-t-il. Je refusai. «Mais vous avez bien aidé Jean à mourir. Pourquoi pas moi?»

En 1978, j'avais échappé de peu à des poursuites pour avoir aidé ma femme gravement malade à mourir (voir le livre *Jean's Way* et la pièce *Is This The Day*?) et je venais de fonder la Hemlock Society aux États-Unis. J'expliquai à James que j'étais prêt à contrevenir à la loi dans le cas du suicide d'un proche, et que j'avais lancé une campagne de sensibilisation à long terme dans l'espoir que la loi serait réformée et qu'on permettrait enfin aux médecins d'aider les malades en phase terminale à mourir. Mais je lui expliquai aussi que le fait d'aider un étranger allait à l'encontre de mon éthique personnelle et risquait de nuire à mes efforts de réforme. Je l'encourageai à essayer de trouver de l'aide parmi ses proches. Il était déçu, mais j'eus l'impression que nous nous quittions en bons termes.

Quelques mois plus tard, je lus dans les journaux que James s'était finalement suicidé, en mettant le feu à sa maison et en se laissant brûler vif. Il laissa une note de suicide. Je n'ai jamais pu oublier James, et je présume que c'est aussi le cas de toutes les autres personnes à qui il avait demandé de lui venir en aide.

La douloureuse question de l'euthanasie pour les handicapés trouve son pendant dans l'histoire d'Elizabeth Bouvia. En 1983, cette dernière, qui souffrait de paralysie cérébrale depuis la naissance, décida que sa vie ne valait plus la peine d'être vécue. Elle se rendit donc dans un hôpital californien et demanda qu'on la laisse mourir de faim.

Les autorités de l'hôpital refusèrent de coopérer et s'adressèrent même à un tribunal pour obtenir l'autorisation de nourrir Elizabeth de force. (Elizabeth perdit sa première cause, mais gagna la seconde: on ne peut être nourri de force en Californie.) Un reportage télévisé sur la procédure judiciaire la montrait en train de demander avec insistance qu'on lui permette de mourir de faim. L'affaire prit les proportions d'un cirque médiatique international, et Elizabeth obtint enfin l'attention qu'elle avait de toute évidence ardemment désirée. Il fut même question d'un livre et d'un film sur sa vie. Tout cela dut l'amener à changer d'avis, car au moment où j'écris ces lignes, au milieu de 1990, elle est encore en vie et sous les bons soins d'un hôpital de Los Angeles.

Pour chaque cas de personne handicapée qui a changé d'avis, je pourrais en citer un autre où le contraire est arrivé, où la personne est allée jusqu'au bout dans son autodélivrance. Lors des réunions de la société Hemlock, il m'arrive fréquemment de rencontrer des gens sérieusement handicapés qui, pour résumer, me disent qu'ils considèrent l'option de l'euthanasie comme une assurance contre la détérioration physique et les maladies débilitantes que provoque si souvent l'inactivité forcée. J'en ai connu quelques-uns au début des années 80 qui se sont suicidés depuis; d'autres sont encore vivants.

Le véritable dilemme du quadriplégique, c'est, comme l'histoire de James Haig l'illustre de façon si poignante, comment en finir seul. C'est presque impossible. Les dossiers de la Hemlock Society renferment des histoires émouvantes de proches parents et amis qui asphyxient, tuent d'une balle, égorgent ou approvisionnent en médicaments mortels des handicapés qui désirent le suicide. Ces gestes entraînent des poursuites judiciaires et souvent l'emprisonnement. Cette lettre d'une femme, membre de la Hemlock Society, décrit le problème de première main et mieux que je ne pourrais le faire:

«Il y a trois ans, j'ai été victime d'un accident de voiture qui m'a laissé paralysée à partir des épaules. J'avais rédigé un testament de vie, mais je ne l'avais pas sur moi au moment de l'accident. Je me suis réveillée branchée à un respirateur à l'unité de soins intensifs d'un centre de traumatologie, avec une fracture du cou et des perforations aux poumons, dans une chambre remplie de moniteurs. Quand j'ai enfin pris conscience de mon état, je ne pouvais d'aucune façon demander d'être débranchée du respirateur.

«Je suis parfaitement lucide et consciente, mais ma qualité de vie a été réduite à la simple existence. Je ne peux rien faire seule. Ce que je désire plus que tout, c'est de trouver quelqu'un qui m'aidera dans mon autodélivrance, car je ne serai jamais heureuse en vivant ainsi. Mais il m'est impossible de trouver ce genre d'assistance dans l'état actuel des lois, ou sans avoir un ami dans le domaine médical qui n'aurait pas peur des conséquences judiciaires.

«Je me sens prise au piège et absolument désespérée, et je n'ai aucun recours. Ma vie est dépourvue de toute dignité et j'ai l'impression d'attendre la mort... Une vie sans qualité ni dignité est aussi pénible, sinon plus, qu'une maladie dans sa phase terminale, alors qu'au moins on sait que la misère prendra fin, tandis que ma vie peut se poursuivre pendant des années.»

Que pouvons-nous faire pour aider, nous qui sympathisons avec le suicide justifié d'un handicapé? Dans le climat juridique qui prévaut actuellement en Occident, cette assistance est particulièrement dangereuse. Lorsque nous aurons des lois écrites qui permettront à un médecin d'aider, en toute légalité, un malade en phase terminale à mourir, je crois que cette réforme favorisera une plus grande tolérance envers les autres cas d'exception. Mais ces cas sont si rares qu'ils ne justifient pas l'adoption d'une loi spéciale, car dit-on, «les cas difficiles ne font pas de bonnes lois».

Si la personne handicapée et la personne qui est en mesure de l'aider estiment qu'elles doivent procéder à l'euthanasie, après avoir soigneusement envisagé la question et en l'absence de toute autre solution, alors la méthode utilisée, le caractère privé de l'acte et le secret subséquent doivent faire l'objet du plus grand soin. La nécessité ne connaît pas de loi, dit le proverbe. Tout au moins, l'ami doit se faire l'avocat du diable, débattre du pour et du contre de la décision, et envisager sérieusement de donner son soutien moral.

Ayant observé de tels cas depuis 12 ans, j'en suis venu à la conclusion que les tribunaux sont plus cléments à l'égard des proches parents que des amis. Je suppose que ce sont les liens du sang et la fraternité qui influencent les juges. Mais parfois, il ne reste qu'un ami pour aider.

CHAPITRE 9

Se laisser mourir de faim

Certaines personnes croient que la forme idéale d'euthanasie consiste à jeûner jusqu'à la mort. On a rapporté de nombreux cas de gens d'un âge fort avancé qui étaient morts ainsi, et nous n'avons aucune raison de les mettre en doute. Mais la question n'est pas aussi simple qu'elle n'y paraît. Il y a plusieurs facteurs à considérer.

Les études médicales qui détaillent les effets de la mort par privation de nourriture sont remarquables par leur absence. Ce sujet ne semble pas intéresser les médecins. Certains études rapportent les effets du jeûne comme geste de protestation. Dans la plupart des cas, heureusement, les protestataires décident de mettre fin à leur jeûne et de continuer à vivre.

Ces rapports nous apprennent qu'après une perte approximative de 20 p. cent du poids corporel, la maladie s'installe sous une forme ou une autre, notamment l'indigestion grave, la faiblesse musculaire et, pire que tout, l'incapacité mentale. C'est la santé de l'individu qui détermine quelle maladie surviendra la première.

Une personne dans la quarantaine, en bonne santé, peut jeûner pendant environ 40 jours avant que sa vie ne soit sérieusement menacée. Au-delà, le risque de mortalité est très élevé. Le moment exact du décès varie d'une personne à l'autre.

Dans certains cas, jeûner jusqu'à la mort peut être très pénible. En 1987, après qu'un tribunal du Colorado eut donné à Hector Rodas la permission de se laisser mourir de faim (il était quadriplégique), on dut lui administrer de la morphine pour soulager la douleur provoquée par la déshydratation fatale. Au cours des 15 jours que dura son agonie (sous contrôle médical adéquat), Rodas entrait par intermittence dans le coma. Je crois qu'il aurait été plus compatissant, après avoir obtenu le feu vert du tribunal, de lui administrer une dose fatale de morphine. Mais la loi ne le permettait pas.

Les médecins nous assurent que la mort par jeûne ne provoque aucune souffrance chez les patients qui sont dans un état végétatif persistant, et que ce geste est humain pourvu que le patient reçoive de bons soins infirmiers comprenant une humidification des lèvres. Une personne qui se trouve dans un coma profond ne ressent aucune douleur et meurt habituellement au bout de 10 à 14 jours. Bien entendu, la plupart de ces patients ont été inconscients depuis plusieurs années et sont déjà affaiblis physiquement.

Une femme de ma connaissance, âgée de 88 ans et membre de la Hemlock Society, souffrait de ce que j'appelle la «vieillesse en phase terminale» à la suite d'une légère commotion et d'une défaillance cardiaque. Elle mit toutefois 33 jours à mourir par son refus de s'alimenter. Elle avait soigneusement pesé sa décision et elle était déterminée à mourir, mais cela n'accéléra pas les choses. Elle cessa également de prendre tous ses médicaments pour le cœur. Elle prenait une demi-tasse d'eau chaque jour et humidifiait ses lèvres au moyen de cubes de glace. Trois jours avant sa mort, elle commença à avoir des hallucinations légères, que son médecin traita en lui donnant de la thorazine. Elle tomba ensuite dans un sommeil profond et mourut paisiblement chez sa fille.

Sa fille me dit: «Inutile de dire qu'il était très pénible de la voir se détériorer. J'ai été surprise qu'elle survive si longtemps, car je croyais qu'après avoir pris sa décision, elle mourrait rapidement, en partie parce qu'elle avait cessé de prendre de la digoxine, mais surtout parce qu'elle avait une telle volonté de mourir. Je lui ai finalement suggéré que sa lutte pour mourir était peut-être une affirmation de la vie. Elle s'est détendue davantage et a répété: "Je suis en paix." Au fil des jours, elle affirma souvent qu'elle se sentait privilégiée de ressentir de l'amour et de la bonne volonté envers tout le monde.»

Jeûner jusqu'à la mort présente un attrait particulier pour certains. C'est essentiellement un geste indépendant: vous assumez la responsabilité de votre propre mort, elle n'implique personne d'autre et démontre à quel point vous souhaitez la mort, car la vie vous est devenue inacceptable. Mais il faut envisager la possibilité d'une aggravation de la maladie avant le décès, son effet éventuel sur les proches et la durée incertaine du processus.

À moins que les personnes qui se laissent mourir de faim ne soient entre les mains des médecins les plus conservateurs et les plus réactionnaires qui soient, cela ne devrait poser aucun problème juridique. La loi ne permet pas de nourrir quelqu'un de force. De nombreuses causes aux États-Unis et en Grande-Bretagne ont souligné, à plusieurs reprises, qu'aucun traitement médical ne peut être administré sans le consentement du patient, même quand sa vie est en péril.

CHAPITRE 10

La volonté de mourir et les «remèdes miracles»

Une de mes veilles tantes, octogénaire, est morte récemment d'une perforation de l'intestin. Elle souffrait de nombreuses autres maladies qui, séparément ou ensemble, auraient fini par la tuer. C'était à quelle maladie l'emporterait la première. Elle avait hâte de mourir. «Je prie Dieu de venir me chercher», disait-elle. Mais son agonie a duré des mois, et elle souffrait dans son corps et dans son esprit. Elle était tellement affaiblie par la maladie que la vie ne lui donnait plus aucun plaisir. Elle connaissait et approuvait mon travail dans le domaine de l'euthanasie, mais ses convictions religieuses ne lui permettaient pas d'accélérer sa fin de quelque façon que ce fût. J'avais du respect pour cela.

Selon moi, la volonté de mourir n'est pas suffisante en soi pour entraîner la mort. Ce serait facile s'il ne suffisait que de cela. On m'a rapporté des cas de personnes déterminées, gravement atteintes d'une ou deux maladies en phase terminale, qui ont planifié des tentatives de suicide, qui ont plané à deux doigts de la mort et qui ont échoué, parce que les interactions des médicaments avaient neutralisé les effets mortels. Dans ces cas, je suis convaincu que s'il était possible de se laisser mourir parce qu'on en a la volonté, certains auraient déjà réussi, car ils étaient déjà très près de la fin.

Certaines personnes ne sont pas d'accord avec ce qui précède. Elles m'ont affirmé avec certitude que tout ce qu'elles auront à faire lorsqu'elles seront en phase terminale, ce sera de se mettre dans le bon état d'esprit et, en un jour ou deux, elles cesseront de respirer. Certains médecins spécialisés en gériatrie me disent qu'il leur est déjà arrivé, en de rares occasions, de constater le décès d'une personne très âgée et très malade, qui avait annoncé: «Je vais mourir aujourd'hui.»

Le film *Long Time Companion*, tourné en 1990, renferme une scène chargée d'émotion, où l'on voit mourir un jeune homosexuel aux derniers stades du SIDA. Dans un compte rendu publié dans le magazine *Newsweek*, le critique de cinéma David Jansen écrit que l'amant du jeune homme «l'aide à mourir». L'aide à laquelle il fait allusion correspond davantage à «donner la permission de mourir». À son chevet, l'amant encourage le mourant en répétant plusieurs fois: «Laisse-toi aller. C'est bien de se laisser aller. Laisse-toi aller.» Et le jeune homme meurt. Là encore, nous avons affaire à une fiction, bien sûr, et le film ne nous dit pas exactement combien de temps a duré l'agonie du jeune homme, ni à quel point la mort était imminente lorsqu'il a reçu la «permission» de mourir.

Méfiez-vous des idées sur la mort et sur l'agonie qui sont véhiculées dans les livres et les films. Le plus souvent, ces comptes rendus ont été abrégés et épurés, et ils sont parfois (comme nous l'avons déjà mentionné) tout à fait faux.

Ayant affirmé mon scepticisme, je crois toutefois qu'une volonté bien arrêtée et réfléchie, de même que la permission expresse de partir de la part des proches, peuvent aider un tant soit peu à mourir. Le patient se sent libéré de l'obligation familiale et sociale de continuer à lutter. Dans certains cas, on peut précipiter la fin en cessant complètement de prendre ses médicaments. Il est cependant risqué d'interrompre la médication pour accélérer la mort, et cela peut entraîner des souffrances. Bien sûr, si un patient choisit de faire arrêter l'appareil qui le maintient artificiellement en vie, la question est réglée.

Pour résumer, je crois que la volonté de mourir est un facteur important et utile dans les cas d'euthanasie, mais qu'il ne faudrait pas s'y fier en tant que mécanisme de libération assuré.

L'autre côté de la médaille, c'est que bien des gens se disent: et si l'on annonçait la découverte d'un «remède miracle» le lendemain de ma mort? Lorsqu'on est atteint d'une maladie grave, il est tout naturel d'espérer que la découverte scientifique tant attendue arrive à point nommé pour nous sauver.

La science médicale a fait d'immenses progrès au cours des 50 dernières années, et la recherche et la technologie continuent de faire des percées sur plusieurs fronts. Toutefois, de nombreux types de cancer demeurent incurables, même si le dépistage précoce et les traitements perfectionnés sauvent bien des vies et en prolongent d'autres. Par exemple, il n'existe actuellement aucun traitement pour la maladie d'Alzheimer, le lupus et la sclérose latérale amyotrophique (maladie de Lou Gehrig).

Mon observation des tendances en médecine moderne me porte à croire que la réponse éventuelle à la plupart de ces maladies viendra de mesures de prévention contre les maux auxquels nous sommes sujets, plutôt que de remèdes pour des maladies déjà contractées. Bien entendu, cela reste à démontrer.

L'histoire de la médecine n'offre aucune preuve de l'apparition soudaine de remèdes miracles. Par exemple, la pénicilline a été découverte au milieu des années 30, mais il a fallu attendre jusqu'à la fin des années 40 pour qu'elle soit commercialisée et contribue à sauver des vies. On a réalisé d'énormes progrès dans la lutte contre la leucémie chez les enfants, mais il suffit de dépouiller la documention médicale pour constater que cette lutte a été menée sur au moins une décennie. À un certain moment, le médicament appelé interféron a été vanté internationalement comme la réponse à la plupart des cancers; après une expérimentation plus poussée, il s'est révélé peu efficace.

Même si l'on découvrait le remède le plus efficace, il est peu probable qu'il puisse aider un patient qui a déjà subi les ravages d'une maladie grave. Les organes vitaux ou les tissus importants sont peut-être déjà détruits, et c'est ce qui amène le patient au seuil de la mort et stimule son désir d'avoir le contrôle sur cet événement. De plus, de nombreux traitements médicamenteux, principalement la chimiothérapie intensive, provoquent des détériorations physiques tout en combattant la maladie. Un remède, aussi miraculeux soit-il, serait sans doute, s'il existait, plus efficace au début d'une maladie qu'à ses derniers stades.

Interrogez votre médecin sur les progrès de la recherche concernant la maladie dont vous souffrez. Le cas échéant, obtenez des copies de la documentation médicale afin de pouvoir tirer vos propres conclusions après en avoir parlé davantage avec votre médecin. Parcourez les sections médicales des hebdomadaires et des quotidiens: les médias adorent rapporter les progrès médicaux qui suscitent l'optimisme. Présentez toutes vos trouvailles à votre médecin afin de les évaluer conjointement.

En médecine, les progrès réels n'arrivent qu'après des années de recherches et de tests systématiques, suivis d'une évaluation exhaustive réalisée par un organisme gouvernemental, afin de s'assurer qu'aucun médicament approuvé n'a d'effets secondaires néfastes.

Les gens pieux peuvent croire aux miracles de la médecine, et c'est leur droit. Pourtant, en dépit de tous les traitements médicaux, la mort viendra tous nous chercher. Il incombe à chaque personne de déterminer à quel moment il faudrait interrompre le traitement médical ou mettre fin à sa vie.

CHAPITRE 11

Faire provision de médicaments

Après vous être procuré une certaine quantité de médicaments mortels, en tant qu'«assurance» contre une fin allant à l'encontre de vos voeux, comment les conserver en sûreté et en bon état? Cette question préoccupe grandement de nombreuses personnes, car elles ne s'attendent pas à devoir les utiliser pour quelque temps encore! Rappelez-vous, la vie vaut vraiment la peine d'être vécue au maximum. Voici donc quelques conseils sur la façon de préserver la qualité de vos médicaments.

Entreposage

Si possible, n'ouvrez pas le contenant d'origine, scellé, qui constitue votre première mesure de sécurité. Si vous l'avez déjà ouvert, retirez-en la ouate et toute autre forme d'emballage intérieur; s'il n'est pas ouvert, n'y touchez pas.

Ne stockez pas de médicaments dans le congélateur, à moins d'être absolument certain qu'ils se trouvent dans un contenant métallique scellé et étanche. Ni les contenants de plastique dans lesquels les médicaments sont habituellement distribués en pharmacie, ni les contenants de pellicule plastique ne les tiendront à l'abri du givre.

Un contenant de plastique ambré est préférable à un contenant translucide, parce qu'il filtre la lumière. Un contenant de verre est préférable à un contenant de plastique, parce que le verre est chimiquement inerte et ne peut altérer le contenu. (Le vin se garde pendant des siècles dans des bouteilles.) Mon propre stock est composé de Vesperax que j'ai acheté en Suisse. Je le garde dans une armoire, dans son emballage d'origine en papier d'aluminium, dans un pot de verre fermé au moyen d'un couvercle étanche.

Il vaut mieux garder un contenant fermé dans un placard ou un tiroir à la température ambiante. Assurez-vous que personne d'autre, en particulier les enfants, n'ait accès à ce poison.

Évitez les cuisines, les salles de bain et les buanderies. Elles risquent d'être humides, et leur température varie, du moins par périodes. Vous devriez également tenir les médicaments à l'abri de la lumière, du soleil ou des sources de chaleur.

Durée de conservation

La durée de conservation d'un médicament dépend principalement de sa fraîcheur au moment où vous l'obtenez d'un pharmacien. Est-il resté pendant des années dans un entrepôt pharmaceutique? Ou est-il sur la tablette du pharmacien depuis longtemps?

Si le pharmacien achète un médicament qui porte une date de péremption, et si ce médicament est destiné à être utilisé à des fins thérapeutiques avant cette date, le pharmacien a le droit de le vendre. **Par conséquent, lorsque vous achèterez votre dose mortelle, insistez pour connaître la date de péremption de ce médicament.** (Il est presque certain que cette date ne sera pas indiquée sur le contenant qui vous sera remis, mais le pharmacien la connaîtra.)

En règle générale, les médicaments qui sont stockés méthodiquement, de la manière décrite dans ce chapitre, se conserveront sans se détériorer pendant cinq ans.

Même après cinq ans, la détérioration sera en générale légère. Pour compenser cette réduction potentielle de toxicité, ajoutez une capsule ou un comprimé supplémentaire pour dix doses mortelles recommandées.

Le réseau CBS a déjà diffusé, dans le cadre de l'émission *60 Minutes*, un reportage sur des membres de la Hemlock Society à Tucson, en Arizona, qui se rendaient au Mexique, armés de mon autre livre, *Let Me Die Before I Wake*, afin d'y acheter des médicaments. On montrait l'une de nos membres, qui gardait son «assurance» dans un carton à chapeaux dans son placard. C'est un endroit comme un autre.

Cette émission, ainsi que le film *When the Time Comes*, présenté sur la chaîne ABC, donnaient malheureusement l'impression qu'on pouvait se procurer aisément au Mexique des médicaments qui ne sont disponibles que sur ordonnance aux États-Unis. Cela n'a jamais été aussi facile, sans compter que les autorités mexicaines ont par la suite commencé à imposer des restrictions sur la vente de médicaments. (Voir le chapitre 18, sur la façon d'obtenir des pilules.)

Comme le Mexique, la Suisse a connu une augmentation des achats de médicaments mortels par ceux qui projettent l'euthanasie. À la suite de pressions de la part du gouvernement, les ventes ont cessé.

CHAPITRE 12

À qui se confier?

Qui désirez-vous mettre au courant de votre mort prochaine? Désirez-vous également qu'on sache que vous avez choisi de mettre délibérément fin à votre vie? Je n'ai aucun conseil à donner au sujet de la première question, bien entendu, mais je vous recommande d'être franc au sujet de la seconde. Il n'y a rien de pire que les rumeurs sans fondement et, une fois mort, vous ne pourrez plus rétablir les faits.

Il est essentiel que vos proches soient au courant de votre projet. Ne les surprenez pas, ne leur donnez pas de choc. Le fait de les informer à brûle-pourpoint que vous êtes membre d'un organisme pour l'euthanasie volontaire est une approche possible. Si vous ne provoquez aucune réaction la première fois, mentionnez-le à nouveau plus tard. Ils ont peut-être été surpris et n'ont pas eu le temps d'y réfléchir à fond. Faites-le pendant que vous êtes en santé, si possible. N'attendez pas qu'il soit trop tard.

Vous trouverez peut-être dans votre famille plus de soutien que vous ne le croyez. Je connais une femme qui gardait jalousement secrète son intention d'aider sa mère à mourir. Après les funérailles, elle découvrit que sa tante (la soeur de sa mère) était membre fondatrice de la Hemlock Society. «Il m'aurait été tellement utile d'avoir le soutien de ma tante, dit-elle. Je n'aurais jamais imaginé qu'elle était sur cette longueur d'ondes.»

Faites également part de vos intentions à vos amis les plus intimes. Au cours de ses derniers mois, ma première femme, Jean, y faisait souvent allusion lorsqu'elle parlait de sa maladie avec ses amies: «Je ne vais pas me rendre jusqu'au bout, vous savez. Je vais faire quelque chose.» L'une de ses amies s'est nettement rappelé ces indices et en a fait part à la police, en 1978, lorsqu'on a enquêté sur mon compte. Je crois que cela m'a aidé, en démontrant que c'était son intention à elle, car aucune accusation n'a été portée contre moi, bien que ce dût être une décision très serrée de la part du bureau du procureur.

Tout dépend des circonstances, bien entendu, mais comme solution de rechange, vous pourriez laisser une lettre à votre meilleur ami, dans laquelle vous exposeriez vos raisons d'accélérer votre fin et feriez en même temps vos adieux. Demandez-lui de la faire circuler.

Est-ce que cette lettre se rendra jusqu'aux journaux?

Cela dépend dans une large mesure de qui vous êtes; il se peut que les médias désirent rapporter votre mort. J'ai lu des dizaines de notices nécrologiques de personnages publics importants, et moins importants, qui indiquent, de façon très ordinaire, que cette personne s'est enlevé la vie et de quoi elle souffrait. L'acte d'autodestruction n'est habituellement pas mentionné dans le titre ni le premier paragraphe. Je vois aussi des notices qui indiquent que la personne appartenait à la Hemlock Society et qu'elle désire que les offrandes de fleurs soient remplacées par des dons à la société. L'attitude du public à l'égard du suicide rationnel a profondément changé au cours des dix dernières années.

En juin 1990, le suicide de Janet Adkins a été traité comme une nouvelle sensationnelle, parce que le Dr Jack Kevorkian, le pathologiste qui l'a médicalement assistée avec sa «machine à suicide», l'a annoncé publiquement afin d'ébranler l'opinion médicale. Ce fut un événement unique, qui contribua sans aucun doute à secouer l'opinion publique au sujet de l'euthanasie. Mme Adkins était membre de la société Hemlock avant sa maladie.

J'ai demandé à un reporter de l'*Oregonian*, le journal local de Portland où vivait Mme Adkins, si un suicide par balle, dans les mêmes circonstances médicales, aurait eu le même retentissement dans les pages du journal.

«Nous n'en aurions même pas fait mention», m'a-t-il répondu.

On pourrait croire que les médias ne ratent jamais une occasion de couvrir les cas d'euthanasie. En réalité, on n'entend parler que d'une minorité de cas, des gestes controversés comme celui de Kevorkian ou des affaires judiciaires vigoureusement contestées comme celles de Nancy Cruzan. Croyez-moi, des centaines de cas d'euthanasie active et passive passent inaperçus, ou ne font l'objet d'aucune couverture journalistique. Et nous devrions tous être reconnaissants qu'il en soit ainsi, tant et aussi longtemps que la situation législative demeurera aussi embrouillée.

CHAPITRE 13

L'assurance

Curieusement, l'une des questions qu'on m'a posées le plus souvent au cours des 12 dernières années, c'est si le suicide — ou l'autodélivrance, ou l'auto-euthanasie — invalide les polices d'assurance-vie. Je n'ai eu connaissance que d'un seul problème de ce genre. Bien entendu, il peut y en avoir eu d'autres dont je n'aurais pas été informé.

Gerald Buck, 51 ans, était professeur à l'école des Arts industriels de Boulder, au Colorado, lorsqu'en juillet 1986 un agent d'assurance le persuada de laisser arriver à échéance deux polices d'assurances auxquelles il avait souscrit depuis longtemps et, après qu'un examen médical eut démontré qu'il était en bonne santé, de prendre une nouvelle police. En octobre de la même année, M. Buck contracta un grave cancer de l'œsophage. Il subit une chirurgie radicale suivie d'une chimiothérapie, mais son état ne fit qu'empirer. On dut lui insérer un tube dans le dos pour drainer les liquides, et le nourrir à l'aide d'un cathéter. Il souffrait de douleurs atroces, de nausées et de spasmes abdominaux.

Vers la fin de février 1987, il quitta l'hôpital pour une brève visite chez lui. Après avoir parlé à sa femme et à ses parents, il monta à l'étage et mit fin à ses jours au moyen d'une arme à feu.

La Western States Life Insurance refusa de verser à sa veuve l'indemnité de 25 000 $ prévue dans sa nouvelle police d'assurance, parce qu'il s'était suicidé en deçà du délai d'un an stipulé par la loi du Colorado. Mme Buck a poursuivi la compagnie d'assurance en soutenant que la cause première du décès de son mari avait été le cancer. S'il avait choisi de refuser tout traitement, ce qui n'est pas rare dans les cas de cancer avancé, il serait mort plus tôt et la famille aurait eu doit, malgré tout, aux indemnités d'assurance.

Les avocats de Mme Buck tentèrent de faire valoir que la définition du suicide adoptée par la compagnie d'assurance ne tenait pas compte des cas où un malade en phase terminale choisissait, après la date d'entrée en vigueur de la police, de s'enlever la vie, plutôt que d'affronter la détérioration physique et la ruine financière. Ils soutinrent que le terme «suicide» était ambigu.

Le juge accepta l'argument de la compagnie d'assurance, selon lequel la police comportait une clause d'exclusion du suicide dans un délai préétabli. L'affaire se rendit jusqu'à la Cour d'appel du Colorado, qui maintint la décision du tribunal de première instance.

Aujourd'hui, la majorité des polices d'assurance-vie comportent une clause stipulant qu'aucune indemnité ne sera versée si l'assuré s'est suicidé au cours d'un certain délai après la signature du contrat, habituellement deux ans, mais parfois un an, comme au Colorado. Dans l'éventualité d'un suicide, la compagnie est uniquement tenue de rembourser les primes déjà payées.

Cette limite de temps vise à prévenir les fraudes de la part de personnes qui voudraient que leur famille profitent de leur suicide. On présuppose que peu de personnes suicidaires attendront deux ans avant de passer aux actes. Il incombe à la compagnie d'assurance de prouver que la mort de l'assuré était un suicide.

Si vous êtes en phase terminale d'une maladie et envisagez l'autodélivrance, je vous conseille de vérifier les dates d'entrée en vigueur de vos polices d'assurance. Si vous les avez depuis plus de deux ans, votre famille est en sécurité. Lisez bien toutes les clauses, pour voir si certaines traitent du suicide. En général, il n'est pas bon de prendre de nouvelles polices aux derniers stades de votre vie. Si vous le faites, essayez de garder également les anciennes. Rappelez-vous, la maladie de M. Buck a dû progresser pendant des années, sans être dépistée lors de l'examen médical effectué pour la compagnie d'assurance. Trois mois plus tard, sa maladie avait atteint sa phase terminale. Nos vies ne tiennent souvent qu'à un fil très ténu.

CHAPITRE 14

Y aura-t-il une autopsie?

Bien des gens s'inquiètent de l'éventualité d'une autopsie. Ce qui leur répugne, c'est soit la pensée du scalpel du pathologiste, soit le fait que leur suicide sera enregistré ou même publié.

Nombre d'entre nous n'avons aucune objection à être identifiés, à la fin, comme des suicidés. Nous savons que nos amis sont conscients que ce geste n'aura pas été posé par lâcheté ou pour fuir, mais qu'il repose sur des opinions rationnelles entretenues de longue date. Je sais cependant, par le courrier que je reçois, que pour certaines gens les deux formes de suicide — rationnel et émotionnel — sont encore entachées de stigmates. Ils veulent connaître les probabilités d'une autopsie éventuelle.

Une autopsie est un examen pratiqué sur un cadavre par un médecin, pathologiste de formation, afin de déterminer la cause réelle — par opposition à la cause présumée — du décès. Elle implique une dissection du corps afin d'examiner et peut-être de retirer des organes vitaux qui seront analysés dans un autre laboratoire. On pratique des autopsies depuis le XVIIIe siècle. Elles ont d'ailleurs fourni les fondements de la plupart de nos connaissances médicales.

Contrairement à une croyance répandue, les autopsies ne sont pas obligatoires, sauf dans les hôpitaux bulgares, hongrois, italiens et polonais. Du fait que trois de ces pays se sont détachés de la sphère d'influence soviétique, la situation est appelée à changer. En Norvège, en Islande et en France, l'autopsie est obligatoire, là aussi, mais la famille de la personne décédée peut s'y opposer. Dans le reste du monde occidental, le consentement de la famille est toujours obligatoire — sauf quand les autorités judiciaires ont des raisons de soupçonner qu'il s'agit d'un crime ou d'une mort provoquée.

Cette exigence du consentement pour une autopsie dans les pays anglophones vient de la *common law* britannique, qui reconnaît à la famille du défunt des droits restreints sur sa dépouille. La famille peut même outrepasser les instructions écrites laissées par le défunt. Cette tradition a été quelque peu modifiée au cours des 20 dernières années par diverses lois qui nous permettent de déclarer par écrit, à l'avance, que nous désirons faire don de nos organes à la science médicale. Toutefois, en l'absence de soupçon criminel ou de dispositions spécifiques relatives au prélèvement d'organes, c'est l'ancienne loi qui prévaut: les médecins doivent avoir la permission de la famille avant de procéder à une autopsie.

Jusqu'aux années 50, on autopsiait la moitié des gens qui mouraient dans les hôpitaux américains.

Aujourd'hui, cette proportion est tombée à 13 p. cent. Le taux demeure plus élevé dans les hôpitaux universitaires, pour des raisons évidentes, mais il descend à 5 p. cent dans les hôpitaux communautaires et à 1 p. cent dans les centres d'accueil.

Les raisons de cette diminution sont nombreuses et variées: la science médicale a donné aux médecins des outils remarquables qui leur permettent de poser des diagnostics précis (bien que certaines études aient démontré un taux d'erreur de l'ordre de 30 p. cent); le coût des autopsies atteint maintenant 1 800 $ et les compagnies d'assurance refusent de payer; les médecins craignent qu'on découvre une erreur de diagnostic et qu'on leur intente des poursuites.

On peut tirer certains avantages d'une autopsie. Parfois, une mort apparemment causée par une crise cardiaque pourra avoir été provoquée par un accident: l'autopsie permettra alors aux parents de la victime de toucher une indemnité d'assurance; si la cause du décès est une source d'inquiétude pour la famille, l'autopsie pourra résoudre l'incertitude et atténuer la peine; s'il y a un trouble génétique dans la famille, l'autopsie pourra le détecter et permettre aux survivants de prendre les précautions qui s'imposent. Les autopsies peuvent aussi permettre d'identifier et de combattre des maladies jusque-là passées inaperçues, surtout de nouvelles maladies provoquées par des facteurs environnementaux.

Maintenant que nous avons vu brièvement dans quel contexte se pratiquent les autopsies, nous nous attarderons ici à l'autodélivrance ainsi qu'à l'euthanasie assistée d'un mourant. Si les autorités policières soupçonnent le suicide, elles peuvent légalement ordonner une autopsie. Il leur revient de s'assurer qu'une euthanasie assistée n'est pas en réalité un meurtre commis de sang-froid. D'après mon expérience, si les enquêteurs savent pertinemment que la victime était atteinte d'une maladie grave, et s'il y a une note de suicide qui corrobore ce fait, ils n'iront pas jusque-là. «Pourquoi s'en donner la peine?», se disent-ils. J'ai entendu parler de cas où un échantillon du médicament utilisé avait été prélevé des intestins pour analyse, mais où il n'y avait pas eu d'autopsie complète. Les détectives voulaient seulement savoir quelle substance avait été utilisée. Si c'est un médicament familier comme un barbiturique utilisé comme somnifère, ils sont généralement satisfaits. Mais une drogue exotique comme le curare piquerait certainement leur curiosité.

Si on vous demande la permission de pratiquer une autopsie, refusez. C'est votre droit. Si un médecin ou un officier de la loi vous demande la raison de votre refus, invoquez la religion (si tel est le cas) ou votre éthique personnelle. Certaines religions, comme le judaïsme orthodoxe et le bouddhisme, interdisent toute mutilation du corps après la mort. De plus, la mort semblera avoir été provoquée par des «causes naturelles» si le médecin informe sans délai la police de la gravité de la maladie. Il est donc sage de l'appeler immédiatement après le décès.

Il se peut bien que votre famille n'ait aucunement besoin d'appeler la police. Si un patient a été examiné récemment par un médecin qui accepte de signer un certificat de décès indiquant que la mort a été causée par telle ou telle maladie, alors la police ne sera pas informée. *Lorsque vous faites vos derniers préparatifs, téléphonez au bureau du médecin légiste de votre localité.*

Demandez dans quelles circonstances il faut avertir le médecin légiste et quelle est la règle quant au délai qui doit s'écouler entre le dernier examen médical et le décès pour qu'un médecin puisse signer automatiquement un certificat de décès. Demandez également au médecin légiste s'il tient une liste de gens reconnus pour être en phase terminale et proches de la fin.

CHAPITRE 15

Une affaire privée?

Afin d'éviter la souffrance, certaines personnes désirent mettre un terme à leur vie sans que le reste du monde sache que c'était une fin accélérée. Cela peut provenir d'un profond désir d'intimité à ce stade critique de leur vie. Cela peut être aussi que le tabou traditionnel du suicide susbsiste fortement ou que ces personnes veulent éviter d'offenser un proche qui ne serait pas d'accord avec un tel geste.

Quel que soit le motif, nous devons respecter leur détermination et essayer de l'accepter. Très souvent, des gens me demandent comment s'y prendre pour que leur mort semble naturelle. Ma première réaction consiste à leur dire que le secret ne devrait pas être nécessaire en ces temps évolués. Ensuite, que l'on comprend et que l'on tolère davantage, aujourd'hui, le suicide rationnel associé à la phase terminale d'une maladie ou à une dégénérescence physique causée par la vieillesse. Parfois, je réussis à faire valoir mon point de vue; d'autres fois, non.

Peut-on garder le secret autour de son autodélivrance? Pas de façon certaine. (Cela arrive plus souvent par hasard.) Il est vrai que certains médicaments mortels sont extrêmement difficiles à déceler dans le corps après la mort, mais il n'existe aucun médicament qui ne puisse être découvert si le pathologiste et ses collègues de laboratoire savent ce qu'ils cherchent, ou procèdent à des examens exhaustifs. Je n'ai pas l'intention de nommer les drogues qui sont difficiles à détecter, car cette information pourrait aider des gens animés de mauvaises intentions à l'égard de la vie d'autres personnes.

Il existe, par ailleurs, une autre catégorie de personnes qui désirent garder le secret et pour qui j'éprouve de la sympathie: ceux qui accompagnent le suicide rationnel d'un malade en phase terminale. Eux, bien sûr, risquent d'être poursuivis.

Il est essentiel que ces personnes prévoient des tactiques et des réponses. Il est important d'examiner les circonstances de la situation: principalement, les volontés du mourant, la nature de la souffrance, l'imminence de la mort et la qualité de la relation. Si l'on désire garder le secret, le mourant doit rédiger les notes d'exonération décrites ailleurs dans ce livre, et les conserver en lieu sûr. Il se peut qu'il faille produire ces notes plus tard en cas d'interrogatoire. En temps voulu, ces notes pourront être détruites.

Dans les deux cas que j'ai accompagnés, le silence a été ma principale protection. Mon attitude consistait à attendre et à voir ce qui se produirait. Lorsque Jean est décédée d'une surdose, j'ai demandé à ma belle-sœur d'appeler notre médecin de famille pour qu'il vienne certifier le décès. Lorsque sa voiture est arrivée chez nous, je me suis rendu dans le verger et j'ai passé un certain temps à examiner les arbres. Je n'étais pas loin, le médecin pouvait m'appeler s'il avait besoin de moi. Pourtant, il a simplement constaté le décès et a immédiatement signé un certificat indiquant que Jean était morte d'une «carcinomatose». Lorsqu'il est reparti, je suis retourné à la maison.

Trois ans plus tard, lorsque j'ai délibérément choisi de publier l'affaire afin de remuer l'opinion publique, j'ai fait parvenir au médecin un exemplaire de mon livre *Jean's Way*, afin qu'il ne soit pas pris de court. Il m'a écrit pour me dire qu'il ne s'était jamais aperçu que Jean avait provoqué sa propre mort, bien que, connaissant son caractère, il ne fût pas surpris.

Lors de la mort de mon beau-père, que j'avais accompagnée, une coïncidence étonnante a permis d'éviter une enquête. Quand le chef de police est venu à la maison, j'ai entendu le médecin lui expliquer que le défunt avait 92 ans, était extrêmement malade, et avait succombé à une surdose. Le médecin ajouta qu'il avait été averti que cela pourrait arriver. La réponse du policier fut pour moi une agréable surprise. «J'ai vu une émission de télévision à propos de ce genre de choses, plus tôt au courant de la soirée, fit-il remarquer. Cela semble assez fréquent.»

En fait, l'émission qu'il avait vue par hasard était une reprise du reportage de *60 Minutes* sur des membres de la société Hemlock de Tucson, en Arizona, qui traversaient la frontière du Mexique pour s'y procurer des médicaments mortels en vue de les stocker pour un éventuel usage ultérieur. On les voyait montrer mon livre *Let Me Die Before I Wake* aux commis du magasin pour que ceux-ci comprennent plus facilement les noms de certains médicaments. Ni le médecin ni le chef de police ne m'ont demandé qui j'étais et, bien entendu, je ne leur ai pas dit! Pour les autorités, l'affaire était classée.

Les émissions de télévision comme celle qui était diffusée ce soir-là favorisent un climat de compréhension contribuant à protéger ceux qui se sentent une obligation morale d'aider les mourants à transcender la loi actuelle.

Pour résumer: si vous désirez que l'euthanasie de votre proche demeure une affaire privée, planifiez les choses avec le plus grand soin. En tout temps, avant et après, agissez et parlez avec beaucoup de réserve et de prudence. Par-dessus tout, ne vous impliquez pas en fournissant des explications écrites ou verbales. Ne dites rien. Ayez le courage de vos convictions. Laissez les autres faire des découvertes seulement s'ils le veulent.

CHAPITRE 16

Groupes de soutien pour les mourants

Certains désirent que leur passage de la vie à la mort demeure un geste extrêmement intime, partagé uniquement avec leurs proches. D'autres veulent en parler avec des personnes qui ont une certaine connaissance du sujet. Au cours des dernières années, la disparition du tabou de l'euthanasie volontaire aux États-Unis et la plus grande acceptation publique de la Hemlock Society ont favorisé la réalisation d'un important progrès: la croissance de groupes de soutien ou de réseaux, au sein de la centaine de sections locales de la Hemlock Society, où les gens peuvent se rencontrer et discuter.

Ces groupes sont habituellement créés et animés par un des dirigeants de la section locale qui a une expérience en counselling psychologique. Ces groupes sont généralement composés de quelques personnes qui ont aidé un proche à mourir, d'autres qui entrevoient jouer ce rôle et de quelques personnes qui sont en phase terminale et envisagent l'autodélivrance. À l'occasion, des bénévoles de l'hospice qui sont également partisans de la Hemlock Society se joignent au petit groupe.

Bien entendu, ces réunions ne suivent pas d'ordre du jour. Habituellement, certains commencent par parler de la peine que leur a causée la perte récente d'un parent ou d'un ami. D'autres parlent ensuite des sentiments suscités par la prise de conscience qu'ils vont bientôt mourir. On discute souvent des problèmes liés au système de santé et aux coûts des soins, de même que des solutions de rechange à la médecine traditionnelle. On parle fréquemment des façons de garder un bon moral lorsqu'on est atteint d'une maladie dans sa phase terminale.

Comme me le disait un membre: «Cela me fait beaucoup de bien de discuter avec des gens qui sont vraiment clairs, et de ne pas avoir peur de parler ouvertement de la mort et du fait de mourir.» Même lorsqu'ils font face à une mort imminente, les membres de ces groupes ressentent souvent du soulagement et du plaisir à reprendre un certain contrôle sur leur vie.

Ces groupes de soutien ne sont ouverts qu'aux membres de la Hemlock Society, qui doivent d'abord communiquer avec le coordonnateur; ils sont tout à fait distincts des assemblées publiques régulières des sections locales. Les gens suicidaires, dépressifs ou atteints de quelque problème émotionnel grave n'ont pas leur place dans de tels groupes, et on les réfère à d'autres ressources qui pourront les aider. On n'invite jamais de conférenciers de l'extérieur; ce genre de rencontres réunit uniquement des confrères et consœurs qui discutent ensemble de leurs problèmes communs.

On ne permet pas non plus les discussions sur les méthodes de mettre fin à ses jours, car cela pourrait contrevenir à la loi. Lorsque le sujet fait surface, ce qui est inévitable, on conseille aux participants de lire la documentation de la Hemlock Society. Mais on n'escamote pas les dures réalités inhérentes au fait d'affronter la mort, et on les traite le mieux possible aux assemblées, ne serait-ce qu'en échangeant sur ses expériences.

CHAPITRE 17

Lettres à écrire

Il devrait y avoir une ou plusieurs lettres près de votre corps lorsqu'on le découvrira. Vous pouvez également poster des lettres à des amis personnels pour leur expliquer les raisons de votre geste, mais c'est là une question de choix personnel.

La lettre la plus importante est ce qu'on a toujours appelé la «note de suicide». Elle doit clairement établir les motifs de votre geste, préciser que vous en assumez l'entière responsabilité et que personne d'autre ne vous a persuadé de le faire. Au cas où vous seriez découvert avant que la mort ne survienne, vous devez exiger qu'on n'intervienne pas et qu'on vous laisse mourir. En vertu de la loi du consentement informé, on ne peut pas vous toucher ou vous traiter sans votre permission. Si on vous ranime, vous pourriez, en principe, intenter des poursuites pour voies de fait.

Joignez à cette lettre des exemplaires de votre testament de vie et de votre procuration, qui constituent une preuve de planification et permettront d'écarter tout soupçon de geste hâtif et irréfléchi de votre part.

Faites référence à ces documents dans votre note finale.

Votre dernière lettre, de préférence manuscrite, et signée, peut s'inspirer largement des termes suivants:

J'ai décidé de mettre fin à ma vie parce que les souffrances que me cause (telle maladie) me sont devenues insupportables. Je considère avoir vécu une vie pleine et utile, mais que je veux plus poursuivre.

J'ai informé d'autres personnes de cette décision, que j'ai prise seul, en toute lucidité. Je suis membre de tel organisme pour l'euthanasie volontaire et je soutiens son credo. J'ai fait le choix de mourir maintenant. Personne ne m'a aidé.

Je joins à cette lettre mon testament de vie et une procuration, qui prouveront que j'ai longuement réfléchi à mon geste.

Si l'on me découvre avant que j'aie cessé de respirer, j'interdis à quiconque, y compris les médecins et les ambulanciers, de tenter de me ranimer. Si on me ranime, je poursuivrai quiconque y aura contribué.

Signé.. Date ....

Laissez deux exemplaires de cette note, car la police ou le coroner, s'ils interviennent, prendront la première copie et vos survivants ou votre avocat auront besoin de l'autre.

Si vous êtes malheureusement obligé de mettre fin à votre vie dans un hôpital ou un motel, ayez la délicatesse de laisser une note pour vous excuser du choc et des inconvénients causés au personnel. J'ai également entendu parler d'une personne qui avait laissé un généreux pourboire au personnel d'un motel.

Vous devriez également laisser des lettres à vos proches, leur disant pourquoi vous avez décidé de mettre fin à votre vie. Expliquez-leur que vous ne vouliez pas leur révéler le moment précis, afin de ne pas les compromettre aux yeux de la loi. Je sais, par expérience, que ceux qui restent sont parfois blessés de ne pas avoir été personnellement impliqués, ne serait-ce que de loin. Une note explicative empreinte de douceur et d'affection pourra réconforter ceux que vous ne désirez surtout pas blesser.

Vous devriez aussi avoir rédigé un testament, en utilisant les services d'un notaire, afin de disposer de vos biens matériels et de votre fortune, qu'ils soient considérables ou non. Comme ceux que vous laissez derrière souffriront du traumatisme émotionnel que provoquera votre mort, ils vous seront reconnaissants d'avoir réglé vos affaires financières, ce qui les soulagera d'un stress supplémentaire. Il y a tellement de gens qui meurent sans avoir pris la peine de faire un testament.

CHAPITRE 18

Comment se procurer des pilules?

Au cours de mes 10 années à la tête d'une société en faveur de l'euthanasie, voici la question la plus difficile qu'on m'ait posée: «Votre ouvrage *Let Me Die Before I Wake* est un excellent guide d'autodélivrance pour les malades en phase terminale, mais où peut-on se procurer des pilules?»

Je me suis donc employé, récemment, à passer en revue les possibilités d'achat légal de drogues létales, qui conviendraient à l'euthanasie volontaire. Je puis signaler, avec assurance, que l'attitude des médecins a changé au cours des 10 dernières années; bon nombre d'entre eux, surtout s'ils ont moins de 45 ans, accepteront discrètement de prescrire des doses létales de médicaments dans les cas appropriés. (Nous y reviendrons plus loin.)

Comme je l'ai déjà indiqué, il est devenu plus difficile de se procurer, sans ordonnance, des médicaments appropriés au Mexique et en Suisse. Peut-être les sociétés en faveur de l'euthanasie sont-elles victimes de leurs propres services de nouvelles informels, car les autorités outre-frontières sont devenues plus circonspectes.

On m'a signalé que l'Espagne, le Brésil, Singapour et Hong-Kong sont les endroits où il est le plus facile de se procurer des médicaments. Mais il faut reconnaître que les gens ordinaires ont rarement l'occasion de visiter ces régions exotiques.

Selon les experts, environ la moitié de tous les barbituriques (les substances idéales pour l'euthanasie) fabriqués aux États-Unis aboutissent sur le marché noir. Mais, généralement, ceux qui sont en faveur de l'euthanasie ne sont pas du genre à arpenter les rues sombres des quartiers mal famés pour se procurer illicitement des «rouges» (le nom du Seconal sur le marché noir). D'ailleurs, il y a toujours le risque que certaines substances sur le marché noir aient été frelatées ou contaminées.

Vous pouvez bien entendu inspecter votre pharmacie personnelle pour voir s'il vous reste des barbituriques d'une ancienne ordonnance. S'ils ont été entreposés dans leur contenant d'origine — même s'il a déjà été ouvert — il y a peu de risque qu'ils se soient beaucoup détériorés.

Si les médicaments ont plus de cinq ans d'existence, il est recommandé, pour plus de sûreté, d'ajouter un comprimé pour chaque dizaine de comprimés de la dose létale prévue. Cela devrait compenser toute réduction éventuelle de leur toxicité.

Les sondages indiquent cependant que les membres de la profession médicale demeurent nos meilleurs alliés en ce qui concerne l'autodélivrance. Un nombre croissant de personnes m'ont signalé, au cours des dernières années, que des médecins les ont aidés à se procurer les médicaments recherchés. C'est encourageant.

Par exemple, un chirurgien nous écrivait récemment, sur le papier à en-tête de sa pratique: «Je n'ai jamais hésité, dans certaines circonstances, à prescrire d'importantes quantités de somnifères ou d'autres médicaments à des patients ou des membres de leur famille. J'admets qu'ils puissent chercher une sortie de secours et j'estime qu'il est de mon devoir de les aider.

«Je ne considère pas que ces personnes trichent ou mentent lorsqu'elles me demandent, dans une telle situation, de leur prescrire des médicaments. Dans un cas de ce genre, je crois qu'un patient a le droit, en tant qu'individu, de prendre une surdose. Je regrette que les compagnies d'assurance et que la société en général ne leur reconnaissent pas ce droit.»

Quelles sont donc les meilleures tactiques pour aborder les médecins? Voici mes récentes conclusions, qui ne sont pas très différentes de celles que je présentais dans *Let Me Die Before I Wake*.

En cas de maladie terminale confirmée

Demandez carrément à votre médecin de vous donner une ordonnance, en invoquant la gravité de votre état et le fait que vous considérez qu'un adulte mourant qui souffre devrait avoir le droit de demander de l'aide pour son suicide.

N'acceptez pas de réponses vagues du genre: «Ne vous inquiétez pas. Je ne vous laisserai pas souffrir.»

Dites à votre médecin que vous ne voulez pas prendre de risques et que vous ne désirez surtout pas le compromettre. Pour sa propre protection, suggérez-lui plutôt de vous remettre deux ordonnances de 20 comprimés de Seconal (la dose létale étant de 40 comprimés), comportant à des dates différentes.

Ne vous inquiétez pas de ce que le médecin peut penser de votre projet de vous suicider si vos souffrances devenaient intolérables. Ce n'est pas un crime d'envisager le suicide, ni même de passer aux actes. Le fait d'en informer le médecin, même le plus réticent, constitue une bonne stratégie pour l'avenir. Si jamais le coroner l'interroge, votre médecin pourra lui signaler votre intention préalable.

Si votre médecin refuse de vous venir en aide, probablement pour des raisons d'éthique personnelle ou par crainte de la loi, vous devrez aller consulter un autre médecin.

Il est malheureusement inutile de vous adresser à une société en faveur de l'euthanasie pour obtenir les noms de médecins sympathiques à la cause, parce que la plupart n'acceptent d'aider que des patients qu'ils connaissent et en qui ils ont confiance. À l'exception du Dr Kevorkian, nous n'entendons jamais parler de médecins qui aident des étrangers à mourir. Un médecin m'a déjà déclaré: «Les personnes qui osent parler ouvertement de leur projet pourraient être agréablement surprises. Pour ma part, j'accepte de donner des ordonnances, à condition que la personne soit mon patient ou quelqu'un très proche de moi.»

Si vous êtes bien portant aujourd'hui, mais que vous désirez faire des provisions en cas de maladie soudaine, je ne vous recommande pas l'approche directe. Très peu de médecins accepteront de prescrire une dose létale à une personne en bonne santé. Ils courraient un trop grand risque d'être associés à un éventuel suicide émotif (par opposition au suicide rationnel).

Les médecins en faveur de l'euthanasie recommandent l'approche indirecte et progressive. Dites à votre médecin que vous souffrez d'insomnie et ne faites pas d'histoires s'il vous prescrit du Dalmane ou du Halcion. Retournez le voir quelques semaines plus tard et plaignez-vous du fait que ces médicaments ne vous aident pas à dormir. Demandez à votre médecin de vous prescrire quelque chose de plus fort. Il est possible qu'il vous prescrira alors du Miltown ou de l'Equanil, qui conviennent parfaitement à de nombreux types d'insomnie, mais qui sont tout à fait inappropriés aux fins de l'autodélivrance. Acceptez l'ordonnance de bonne grâce. Vous n'êtes pas obligé de la faire exécuter.

Retournez voir votre médecin plus tard et dites-lui fermement qu'aucun des médicaments qu'il vous a prescrits ne vous a aidé à trouver le sommeil. S'il hésite, dites-lui que vous avez entendu dire que le Seconal ou le Nembutal feraient probablement l'affaire et que vous en feriez une utilisation très prudente.

Comme il a la responsabilité de vous aider à régler vos problèmes médicaux, votre médecin est maintenant obligé de vous prescrire des barbituriques. Faites immédiatement exécuter l'ordonnance et conservez au moins 40 comprimés (60 de préférence) dans un endroit frais et sec. Prenez bien soin de mettre votre réserve à l'abri de toute découverte intentionnelle ou accidentelle par d'autres personnes.

«C'est essentiellement une duperie, dit un médecin. Mais, admettons-le, il se peut que le médecin n'y voie aucun inconvénient. Au moins, il n'est pas impliqué aux yeux de la loi, parce qu'il n'y a aucune intention de sa part.»

CHAPITRE 19

La méthode du sac de plastique

Il y a 12 ans, quand j'ai commencé à écrire sur l'autodélivrance pour les malades en phase terminale, l'idée d'utiliser un sac de plastique de pair avec une dose létale de médicaments me choquait.

Ce moyen de mettre fin à ses jours me semblait dépourvu de toute dignité, affreux pour ceux qui pourraient voir le cadavre, inutile car il existe sur le marché des médicaments extrêmement toxiques (sur ordonnance médicale seulement, je le crains) et, par-dessus tout, effrayant parce qu'il implique l'asphyxie.

Dans mon livre *Let Me Die Before I Wake*, publié en 1981, je faisais brièvement allusion au fait que certaines personnes ont utilisé la méthode du sac de plastique pour leur autodélivrance. Dans la mise à jour de 1986, qui comportait de nouveaux chapitres, dont un chapitre décrivant comment je m'y prendrais pour mettre un terme à ma vie si jamais je souhaitais une libération de la souffrance et de l'indignité, j'indiquais que j'utiliserais probablement un sac de plastique en plus de somnifères.

J'écrivais: «Il y a 10 p. cent de chances que mon corps, pour quelque raison aberrante, résiste à l'assaut des drogues, ou que je sois pris de vomissements malgré mes précautions. Je m'assurerais donc d'avoir un sac de plastique à la portée de la main...»

Permettez-moi d'insister: **si vous n'obtenez pas l'appui d'un médecin pour vous aider à mourir, je vous conseille fortement d'utiliser un sac de plastique en plus des médicaments.**

J'ai toujours été et serai toujours en faveur de la légalisation de l'aide médicale aux personnes qui désirent mourir. Lorsqu'on finira par procéder à des réformes législatives, les ouvrages comme celui-ci et comme *Let Me Die Before I Wake* deviendront désuets, simples détails de l'histoire sociale.

Mais il ne faut pas oublier ceux qui sont mourants aujourd'hui, qui ne peuvent plus endurer leurs souffrances et souhaitent, rationnellement, la délivrance.

Il m'arrive de plus en plus souvent d'entendre parler de cas réconfortants de médecins qui acceptent de fournir des médicaments nécessaires à l'euthanasie, de manière réfléchie et discrète. Mais ce n'est pas le cas de tous les médecins. La relation avec le patient est peut-être trop sporadique, ou le médecin a des convictions morales différentes. En outre, certains médecins ignorent les techniques d'euthanasie. De toute façon, un nombre étonnant de personnes, en particulier des couples très unis, désirent se charger eux-mêmes du processus, comme manifestation ultime de leur amour.

La plupart des gens se donnent beaucoup de mal pour obtenir les médicaments appropriés et préparer leur dernière sortie avec soin et amour. Il ne faut rien laisser au hasard. Souvent, ces gens lisent et relisent *Let Me Die Before I Wake*, en en soulignant des passages, particulièrement dans les derniers chapitres.

Dans la grande majorité des cas, les médicaments sont efficaces, et la mort survient en l'espace de 20 minutes ou d'une heure. Parfois, le processus est plus long, disons deux heures, mais c'est exceptionnel.

Il m'arrive occasionnellement, et c'est là l'objet du présent ouvrage, d'entendre parler de cas exceptionnels de malades en phase terminale qui ont survécu à une dose létale de médicaments prise de la manière recommandée et qui ont agonisé pendant une journée ou deux. Il s'agit là de cas rares, mais qui sont source de désarroi pour les survivants qui ont décidé, dans le meilleur intérêt d'un être cher, de lui accorder leur soutien.

D'après mes entretiens avec des familles et des médecins, il semblerait que ces cas occasionnels d'échec soient attribuables à des interactions médicamenteuses ou, plus vraisemblablement, à unc tolérance aux médicaments. Pour être certain de réussir son autodélivrance, le patient devrait cesser de prendre tout médicament plusieurs jours à l'avance. Mais cela n'est pas toujours possible, surtout si la personne souffre beaucoup.

Voilà pourquoi j'insiste sur la nécessité d'utiliser un sac de plastique. J'aimerais également, à la lumière de mon expérience et des discussions que j'ai eues avec des médecins au sein du mouvement pour l'euthanasie, apporter de légères modifications à ce que j'ai écrit dans les premières éditions de *Let Me Die Before I Wake*.

Il est préférable que le sac de plastique ne soit pas trop serré autour de la tête, mais il est très important qu'il soit solidement attaché autour du cou au moyen d'un gros élastique ou d'un ruban. L'air ne doit pas pénétrer à l'intérieur.

Quelqu'un me demandait récemment comment s'y prendre pour gonfler le sac! Je lui ai répondu que c'était exactement le contraire qu'il fallait faire.

Une fois le sac de plastique bien attaché autour du cou, la personne mourante épuise l'oxygène qu'il renferme, le remplaçant par du gaz carbonique. Il reste de l'azote qui permet la respiration, mais personne ne peut survivre en respirant uniquement du gaz carbonique et de l'azote.

Le Dr Colin Brewer a écrit: «On peut se suicider en utilisant uniquement un sac de plastique, mais cela peut devenir un peu pénible, parce qu'on rejette du gaz carbonique. À mesure que la concentration de gaz carbonique augmente, le corps s'adapte et on se met à respirer plus profondément. Cela peut devenir légèrement angoissant, mais ce n'est pas exactement comme lorsque la respiration est complètement bloquée.»

C'est pourquoi je ne recommande pas d'utiliser uniquement un sac de plastique (ce que font parfois les prisonniers suicidaires). Il faut donc avoir pris une quantité assez importante de somnifères pour éliminer ce léger inconfort. Une dose de somnifères pouvant assurer deux heures de sommeil profond devrait suffire.

Ainsi, le sac de plastique ne devrait pas être trop serré, mais il ne devrait pas non plus être immense, car le processus serait beaucoup plus long. Les somnifères choisis devraient agir rapidement. Vous pouvez en faire l'essai au préalable, en prenant deux comprimés. Chaque personne réagit différemment.

Devrait-on utiliser un sac transparent ou opaque? C'est là une question de préférence. Personnellement, j'opterais pour un sac translucide, afin de pouvoir jeter un dernier regard sur le monde qui m'entoure.

Du fait que l'air expiré est toujours à la température du corps (environ 98,6 °F ou 37 °C) et que l'humidité relative est de 100 p. cent, l'utilisation d'un sac de plastique peut créer une impression désagréable de chaleur et d'humidité, d'étouffement. Bien des gens trouveront cette sensation suffocante bien avant que le manque d'oxygène ne suscite ou ne favorise une insensibilité à cet inconfort.

Ce malaise peut provoquer un sentiment de panique qui poussera la personne, malgré sa détermination, à retirer le sac. On peut atténuer cette sensation en s'appliquant un sac de glace ou une compresse d'eau froide sur le front ou sur le cou. De plus, le fait d'être prévenu de cet effet permet d'éviter les surprises désagréables.

Vous pouvez même faire un essai. Pourvu que vous soyez bien portant et alerte, vous pourrez aisément retirer le sac. Un de mes collègues, Don Shaw, de Chicago, soutient qu'il est utile de faire un essai. Voici ce qu'il m'a dit:

«J'ai décidé de vérifier quel effet cela faisait de se mettre un sac de plastique sur la tête et de le fixer avec des élastiques. J'ai été surpris de constater que ce n'était pas du tout effrayant, mais j'ai appris quelque chose d'important à propos des élastiques. Il faut notamment ouvrir complètement le sac pour voir combien d'air il contient. J'ai d'abord essayé de passer les élastiques après m'être enfilé le sac sur la tête et j'ai constaté que c'était presque impossible. Puis, après avoir ouvert le sac de nouveau, je me suis enfilé les élastiques autour du cou et j'ai ensuite mis le sac en place. Cela a très bien fonctionné. J'ai également constaté qu'il fallait deux élastiques.

«Cette expérience m'a tellement marqué que je l'ai refaite, une ou deux semaines plus tard, lors d'une réunion de personnes en faveur de l'euthanasie. Tout le monde était à la fois amusé et impressionné. Je les ai encouragées à en faire l'expérience à la maison, afin de se familiariser avec cette idée.»

Il y a une autre façon de s'y prendre, bien entendu, c'est-à-dire se faire aider par une autre personne, mais cela présente un risque du point de vue juridique. Certaines personnes font un pacte avec un ami, qui leur mettra le sac de plastique sur la tête deux heures, disons, après la prise des médicaments, si jamais ceux-ci n'ont pas fait effet.

Rappelez-vous: quelle que soit la sincérité ou l'urgence de la demande, l'aide au suicide demeure un crime. Il est vrai que ce crime fait rarement l'objet de poursuites, surtout parce que les autorités n'en entendent jamais parler. C'est le crime secret de notre époque.

Le fait d'aider une personne à se suicider constitue un acte criminel, car cela démontre qu'il y avait intention. Il est donc préférable que la personne qui désire l'autodélivrance agisse seule. Cela écartera tout risque de poursuites, en éliminant toute preuve d'intention de la part d'une autre personne. Il n'y a cependant aucun risque à faire disparaître le sac après que la personne a cessé de respirer. Cela réduira la probabilité que la police ou le médecin légiste soupçonnent un suicide.

CHAPITRE 20

Partir ensemble?

Deux de mes amis septuagénaires se trouvaient à bord d'un avion lorsque survint une avarie de moteur. Le capitaine avertit les passagers de se tenir prêts à un atterrissage d'urgence. «J'avais très peur», me dit le mari. J'ai demandé à sa femme comment elle avait réagi. «Je me suis sentie soulagée en pensant que nous allions mourir ensemble», m'a-t-elle répondu.

Ces sentiments sont loin d'être rares chez les couples qui sont mariés depuis longtemps et ont créé une rclation d'interdépendance. Chacun est habité par la crainte de se retrouver seul après la mort de l'autre. Ils sont effrayés par la perspective de la solitude, de l'indigence et par la possibilité de traverser la phase terminale d'une maladie sans l'appui de l'être aimé.

Cynthia Koestler a préféré s'enlever la vie plutôt que de vivre sans son mari, l'auteur Arthur Koestler (*Le Zéro et l'Infini*, etc.). Âgé de 77 ans, celui-ci était mourant, mais elle n'avait que 55 ans et était en santé. En 1983, on les a trouvés morts dans leur salon, assis dans des fauteuils. Il y avait près d'eux un verre de whisky, deux verres à vin vides contenant un résidu de poudre blanche et une bouteille vide de Tuinal (une marque de sécobarbital qu'on ne trouve plus sur le marché). Arthur Koestler avait déjà publié une éloquente note de suicide et Cynthia, dont la mort a surpris ses amis, a laissé un mot qui disait, entre autres: «Je ne puis pas vivre sans Arthur, malgré certaines ressources intérieures.»

Aux États-Unis, le milieu ecclésiastique et philosophique a été atterré quand Henry et Elizabeth Van Dusen se sont enlevé la vie en 1975. Le Dr Van Dusen était l'un des plus éminents théologiens de l'église protestante. Tous deux étaient très âgés et en très mauvaise santé. Dans sa dernière note, Mme Van Dusen écrivait: «Il y a trop de personnes âgées démunies que la médecine moderne empêche de mourir. Je crois que Dieu leur aurait permis de mourir quand leur heure était venue.»

Certains couples décident de mourir ensemble. Parfois, les deux conjoints sont très malades, parfois, seulement l'un d'eux, mais c'est beaucoup plus rare. On ne devrait ni promouvoir ni condamner ces doubles départs. Qui sommes-nous pour juger les autres? Qu'un couple souhaite mourir ensemble est un tribut à la force de leur amour.

L'éminent philosophe Joseph Fletcher affirme: «Nous devrions examiner chaque cas en toute objectivité et refuser d'être liés, sans discernement, par des règles morales universelles, peu importe qu'elles prétendent reposer sur des fondements religieux ou pragmatiques.»

Chez les couples plus jeunes dont l'un des conjoints est mourant, il arrive fréquemment que l'autre conjoint, bien portant, déclare qu'il désire mourir en même temps que son partenaire. On constate généralement qu'il ne met pas son projet à exécution. Le conjoint mourant réussit souvent à convaincre l'autre de ne pas aggraver la situation de la famille en mourant aussi, et c'est le sens des responsabilités qui prend alors le dessus.

J'ai connu des gens qui juraient vouloir mourir en même temps que leur conjoint, mais qui ont changé d'avis par la suite; un an ou deux après le décès de leur conjoint, ils s'étaient remariés. La plupart des gens ont des ressources intérieures qui leur permettent de survivre, malgré les tragédies les plus déchirantes.

Une personne de ma connaissance, dans la quarantaine, était atteinte d'un cancer incurable. Elle a opté pour l'autodélivrance, mais a été horrifiée quand son mari s'est mis à répéter qu'il voulait mourir en même temps qu'elle. L'anecdote suivante illustre à quel point leur approche de la mort était différente: un jour, le mari a vu sa femme qui dansait sur la pelouse, en battant légèrement des bras et en chantonnant joyeusement. «Qu'est-ce que tu fais là?» lui demanda-t-il. «Je m'exerce à être un ange», lui répondit-elle. Le mari s'est précipité dans la maison en pleurant. C'est par de tels gestes, semble-t-il, qu'elle a fini par le faire changer d'avis. Après une célébration d'adieu au champagne et au caviar, elle s'est enlevé la vie avec l'aide de son mari. Trois ans plus tard, il se remariait.

Dans le cas d'un couple âgé très uni dont les deux conjoints sont aux prises avec une maladie physiquement débilitante, le suicide double, conjointement décidé, justifiable et lucidement préparé constitue une option qui mérite notre respect. Si on nous le demande, et si c'est approprié, nous pouvons même fournir notre aide.

Dans le cas des couples plus jeunes, il s'agit évidemment d'une option de tout dernier recours. Dans toute mon expérience, je n'ai jamais eu connaissance d'un cas de ce genre.

CHAPITRE 21

Quand le moment de mourir est-il venu?

«J'ai été saisi par l'envie la plus étrange. Mais je crois, après tout, que je ne me pendrai pas aujourd'hui», écrivait facétieusement G. K. Chesterton, dans *A Ballade of Suicide*. Dans la réalité, lorsqu'on est en phase terminale d'une maladie, choisir le moment de sa mort constitue certainement la décision la plus difficile. Personne ne veut mourir; pourtant, il peut être inacceptable pour certains de vivre avec une maladie incurable ou dégénérative. La mort est alors la seule solution possible.

Il y a parfois des gens qui me téléphonent pour discuter du moment de leur mort. Je me garde toujours de me prononcer et j'adopte plutôt une attitude d'écoute sympathique.

Ce que j'entends se résume habituellement à deux questions. Très souvent, mon interlocuteur n'est pas du tout certain que la mort est imminente, mais **croit** qu'elle peut l'être. Je lui suggère alors de s'enquérir auprès de son médecin de l'évolution de sa maladie et de s'informer des possibilités de nouveaux traitements. Cela permet parfois de balayer certains doutes.

Quand ma première femme, Jean, sut que la fin était proche, car son cancer s'était généralisé, elle me demanda, un matin: «Est-ce le jour?» Selon l'interprétation que certains en ont fait, cette question sous-entendait que c'était moi qui décidais du moment. Ce n'était pas le cas. Jean et moi avions conclu un pacte: nous **partagions** la décision.

Neuf mois auparavant, elle m'avait dit: «La seule chose qui m'inquiète, c'est de ne pas être en mesure de prendre la bonne décision, parce que je serai abrutie par tous ces médicaments. Je ne serai peut-être pas assez lucide pour savoir si je prends ou non la bonne décision, mais je saurai certainement à quel moment je ne pourrai plus supporter la douleur. Je veux donc que tu me promettes de me répondre franchement quand je te demanderai si c'est le bon moment. Il faut que ce soit bien entendu entre nous que je le ferai exactement à ce moment-là. Tu ne mettras pas en doute mon droit d'agir et tu me donneras les moyens de le faire.»

J'étais son dispositif de sûreté contre une autodélivrance prématurée. Je ne voulais pas qu'elle meure, mais j'étais prêt à assumer ma part de responsabilité dans la décision, si cela pouvait l'apaiser. Nous avons la responsabilité essentielle d'aider ceux qu'on aime à prendre des décisions difficiles.

Deuxièmement, il y a souvent une raison sous-jacente très saine qui pousse certains malades en phase terminale à reporter le moment de leur autodélivrance. Il peut se produire, dans leur vie, un événement auquel ils veulent prendre part: un mariage, une naissance, l'annonce de résultats d'examen ou un autre événement du même type.

Au bout du compte, s'ils mettent en doute le bien-fondé de leur geste, c'est qu'ils ne sont vraiment pas prêts à mourir. Voici ce que je conseille aux personnes qui sont aux prises avec ce dilemme: dans le doute, abstenez-vous. Profitez plutôt au maximum du temps qui vous reste.

«Je préfère la vieillesse à l'autre solution», faisait remarquer le célèbre chanteur Maurice Chevalier, qui est mort en 1972 à l'âge de 84 ans.

Le cas des patients incapables

Le problème de loin le plus difficile se rapporte aux victimes de la maladie d'Alzheimer. Cette maladie s'attaque au cerveau et détruit insidieusement les facultés intellectuelles et la mémoire. Il nous arrive tous de dire, à un moment ou à un autre: «Je dois être en train de perdre la tête», pour excuser une absence de mémoire ou une distraction; mais nous savons également que cette remarque a des implications effrayantes.

Janet Adkins nous a tous mis au défi lorsqu'elle s'est enlevé la vie avec l'aide du Dr Kevorkian, en 1990. (On en trouvera une description plus détaillée au chapitre 2 de la deuxième partie.) Elle était atteinte depuis un an de la maladie d'Alzheimer, qui n'en était encore qu'aux premiers stades. La grande majorité des professionnels de la santé cités dans les médias condamnèrent son geste, en le qualifiant de prématuré et en affirmant qu'elle aurait pu vivre encore longtemps avec une certaine qualité de vie. C'était sans doute vrai, mais cette affirmation appelle la question suivante: qu'arrive-t-il quand la détérioration mentale provoquée par la maladie d'Alzheimer rend le patient incapable? Le malade a alors perdu la maîtrise de sa vie, et sa maladie peut continuer d'évoluer pendant encore 10 ou 15 ans. Il est alors trop tard pour l'euthanasie volontaire!

J'ai probablement été moins étonné que les autres par le suicide de Mme Adkins, parce que je sais que cela arrive très fréquemment, dans des cas dont on n'entend jamais parler. Dans la plupart de ces cas, la décision découle d'une vieillesse débilitante. Le plus souvent, la personne a déjà perdu son conjoint et devra vivre seule ses derniers mois ou ses dernières années. La personne est probablement déjà malade et court le risque d'un accident cérébro-vasculaire ou d'une crise cardiaque soudaine, qui la condamnerait à passer le reste de ses jours dans un hôpital. La plupart de ces personnes ont veillé leurs parents au cours d'une longue agonie et ne veulent pas que leurs enfants soient soumis à la même épreuve. Elles font le point de leur existence, rendent grâce pour les bonheurs qu'elles ont vécus, puis mettent fin à leurs jours.

Il est difficile pour nous, qui sommes plus jeunes et en santé, de comprendre de tels gestes. J'ai souvent été confronté aux sentiments de culpabilité et de colère de parents et d'amis qui s'écrient: «Nous l'aimions tant! Nous aurions tout fait pour elle! Pourquoi a-t-elle fait cela maintenant?»

D'après leurs réponses à mes questions, je découvre habituellement que ces personnes bouleversées étaient parfaitement conscientes de la foi sincère qu'entretenait le défunt ou la défunte à l'égard de l'euthanasie volontaire. Je leur demande alors s'ils ont respecté l'intelligence et la force de caractère du défunt ou de la défunte jusqu'au moment de son suicide. Dès qu'ils comprennent qu'il s'agissait de la décision rationnelle d'une personne qu'ils admiraient, ils commencent à accepter la mort et la manière dont elle s'est produite.

Je ne préconise pas le moins du monde que les personnes âgées ou que les personnes atteintes de maladies dégénératives s'enlèvent la vie. Il s'agit là d'une décision beaucoup trop personnelle. Ce que je préconise, c'est la tolérance, la compassion et la compréhension de la plus fondamentale des libertés civiles: le choix de mener sa vie comme on l'entend, qui comprend le droit de décider de mourir.

Les solutions de rechange

Si jamais j'étais atteint de la maladie d'Alzheimer ou d'une autre maladie qui altère les facultés intellectuelles et que je devenais incapable, je voudrais que mon fondé de pouvoir demande à un médecin de mettre fin à mes jours, quand j'aurai cessé d'être la personne que je suis maintenant. En d'autres termes, je veux qu'on m'achève quand je serai devenu un «légume». (Ce terme est très choquant, mais il a acquis une certaine popularité auprès des gens et il exprime certainement leur horreur de telles situations.)

Quand on aura partout adopté des lois reconnaissant le droit de mourir dans la dignité, on disposera alors d'un moyen de résoudre, avec amour et en toute légalité, le dilemme de ceux qui sont atteints de maladies dégénératives ou de ce que j'appelle la «vieillesse en phase terminale».

Aux États-Unis, la loi proposée (*Death With Dignity Act*) conférerait à ceux qui sont fermement décidés à ne pas agoniser lentement dans un hospice à la suite d'un accident cérébro-vasculaire ou des ravages de la maladie d'Alzheimer, le droit de signer à l'avance une déclaration indiquant qu'ils ont chargé telle ou telle personne de demander à leur médecin de mettre fin à leurs jours.

Cet «instrument» est la procuration permanente en matière de soins médicaux, dont serait assortie la loi relative au droit de mourir dans la dignité. Pour prévenir les abus, cette procuration devrait être assujettie, dans le cas des personnes incapables, à davantage de mécanismes de contrôle que dans celui des patients en pleine possession de leurs facultés (qui pourraient simplement signer une requête, assortie de la signature de deux médecins confirmant que l'euthanasie est justifiable).

Dans le cas des patients atteints d'incapacité, il faudra prévoir des garanties supplémentaires. Il faudrait que la demande d'exécution de la procuration, soumise par le fondé de pouvoir, soit examinée par un comité médical composé d'au moins trois personnes. Ce comité devrait avoir la certitude que la déclaration a été faite dans les règles et devant témoins, au moment où le patient était en pleine possession de ses facultés; qu'elle n'a pas été révoquée par la suite; que deux médecins ont certifié que le patient était en phase terminale à long terme et, enfin, que le moment et la manière du décès ont été arrêtés de la façon appropriée par le fondé de pouvoir et le médecin traitant.

À l'heure où j'écris ces lignes, on peut discerner, au sein du mouvement pour l'euthanasie volontaire, une tendance favorable à l'adoption d'une loi autorisant l'euthanasie médicalement assistée uniquement pour les patients en phase terminale qui sont lucides. Les tenants de cette tendance soutiennent que ce principe est plus facile à comprendre et moins sujet à controverse, et qu'il mènera plus rapidement à la mise en oeuvre de réformes législatives.

Mais j'estime que ce serait une grave lacune que d'esquiver nos responsabilités à l'égard des patients incapables. Considérez ces exemples: ce fut relativement facile pour moi, du point de vue philosophique, d'aider Jean à mourir, car sa décision était rationnelle. Elle avait assumé la responsabilité de sa mort. Mais le cas de Roswell Gilbert, de Floride, était bien différent. En 1985, celui-ci était aux prises avec une épouse incapable, qui le suppliait de mettre fin à ses jours. (Elle souffrait de la maladie d'Alzheimer et d'ostéoporose.) Il se sentit obligé, et justifié, après 45 ans de vie commune, d'agir en son nom. Il abattit Emily Gilbert d'un coup de feu et fut condamné à une peine de 25 ans d'emprisonnement, commuée en 1990 à 5 ans d'emprisonnement.

L'empathie manifestée par une grande partie du public à l'égard de la décision irrévocable de Janet Adkins («mon heure est venue») illustre bien les préoccupations réelles de bien des gens envers le sort des patients incapables. Nous devons améliorer la situation de ces victimes afin qu'elles puissent vivre plus longtemps avec leur maladie, mais qu'elles puissent aussi mourir dans la dignité, lorsque le moment sera venu.

CHAPITRE 22

Le dernier acte

Comment met-on fin à ses jours avec certitude et dignité? Je crois que tout ce qui est écrit dans cet ouvrage est important, mais l'essence de ma pensée est contenue dans le présent chapitre, surtout si vous ne parvenez pas à obtenir le concours d'un médecin. Si vous avez la chance d'obtenir l'aide d'un médecin, alors la deuxième partie de cet ouvrage devrait guider votre médecin.

Il faut soigneusement planifier son autodélivrance si l'on veut être assuré de réussir. Les malades en phase terminale qui désirent sincèrement prendre la sortie ne veulent surtout pas courir le risque d'être perçus comme des «victimes qui crient à l'aide», comme on qualifie souvent ceux qui font des tentatives de suicide ratées. L'échec est possible, mais dans la plupart des cas, il est attribuable à une erreur ou à une négligence.

Le plus grand danger est de s'endormir avant d'avoir absorbé une dose suffisante de médicaments. Il y a des années, une femme m'a raconté que son mari avait pris 50 comprimés de Seconal et bu toute une bouteille de whisky, mais qu'il n'était mort qu'au bout de quatre jours. Je n'avais pas de réponse. Quelques mois plus tard, elle me rappelait pour me dire qu'en faisant le ménage du printemps, elle avait découvert environ 25 comprimés de Seconal derrière les coussins du fauteuil où son mari s'était installé pour son autodélivrance. Elle admit qu'elle n'avait pas voulu être témoin de sa sortie. Elle ne s'était donc pas rendu compte qu'il s'était endormi avant de prendre tous les comprimés.

Il arrive à l'occasion que les effets des médicaments s'annulent entre eux. Il est extrêmement difficile de connaître toutes les possibilités sans procéder à une analyse médico-légale très détaillée de chacun des cas. Le métabolisme individuel peut constituer un facteur crucial. Il faut, si possible, cesser de prendre tout autre médicament bien avant toute tentative d'autodélivrance.

J'ai aidé trois personnes à mourir: ma première femme, mon frère et mon beau-père. Mon frère, qui avait subi de graves lésions cérébrales lors d'un accident, est décédé quatre heures après que j'eus demandé aux médecins, avec l'accord de toute la famille, de débrancher les appareils qui le maintenaient en vie. Quant à ma femme Jean et à mon beau-père, ils étaient tous les deux très malades et souhaitaient ardemment la mort. Jean est décédée en 1975, moins de 50 minutes après avoir pris un mélange de Seconal et de codéine. Mon beau-père est mort en 1986, 20 minutes après avoir pris du Vesperax (sécobarbital et brallobarbital).

J'attribue l'écart de temps entre les deux morts, soit 50 minutes contre 20 minutes, au fait que j'avais,

11 ans plus tard, une meilleure connaissance pratique de l'euthanasie. Dans le cas de Jean, je ne connaissais pas l'importance du contenu de l'estomac, ni des précautions à prendre pour prévenir les nausées; à mon grand désarroi, Jean avait en effet vomi une partie des médicaments. À partir de ces deux expériences, et des connaissances que j'ai acquises au cours de mes 12 années au sein du mouvement mondial pour l'euthanasie, voici donc mes recommandations.

Commençons par les choses à éviter. N'envisagez jamais d'utiliser des médicaments en vente libre, des poisons extraits de végétaux ou des détergents liquides comme la soude caustique. Si ces substances parviennent à vous tuer, soyez assuré que ce sera une mort lente et douloureuse, provoquée par la brûlure de la paroi interne de l'estomac. La mort par balle et la pendaison sont horribles et extrêmement traumatisantes pour vos proches qui, en raison de la violence de ces méthodes, ne pourront pas être présents. Vos proches pourraient souhaiter vous accompagner dans vos derniers moments.

Si on n'obtient pas le concours d'un médecin, la meilleure méthode d'autodélivrance consiste à ingérer certains médicaments disponibles sur ordonnance, en conjonction avec la méthode du sac de plastique. Il y a deux situations possibles:

(a) l'utilisation de barbituriques, comme le sécobarbital (Seconal) et le pentobarbital (Nembutal);

ou

(b) l'utilisation de non-barbituriques, comme le diazépam (Valium) et le propoxyphène (Darvon).

Si on utilise des non-barbituriques, il est essentiel de recourir également à la méthode du sac de plastique. Dans le cas des barbituriques, la mort est presque toujours certaine, pourvu que ces médicaments soient pris correctement; j'utiliserais quand même un sac de plastique pour être absolument certain.

La vitesse d'absorption du médicament et son mode d'administration constituent les facteurs déterminants d'une autodélivrance rapide et certaine. Par exemple, l'absorption se fera différemment selon que le médicament est injecté par voie intraveineuse ou pris par voie orale.

Pour que le médicament pris par voie orale soit absorbé par l'organisme, il doit d'abord se dissoudre dans l'estomac, pour ensuite passer dans le flux sanguin. Comparativement au reste du tractus gastro-intestinal, l'estomac est faiblement irrigué par le sang. S'il y a des aliments dans l'estomac, les médicaments y séjourneront plus longtemps avant d'atteindre l'intestin grêle.

Quand l'estomac est presque vide, la valvule qui le relie à l'intestin grêle s'ouvre généralement trois fois par minute. D'autre part, lorsque le bol alimentaire est volumineux, l'estomac sent la présence de solides et la valvule reste fermée jusqu'à ce que le contenu de l'estomac se liquéfie.

Plus rapidement les médicaments atteindront l'intestin grêle, mieux irrigué par le sang, plus rapidement ils agiront, produisant un assaut massif sur le système nerveux central et entraînant la mort du patient.

L'absorption d'alcool accélérera considérablement l'effet des médicaments, en hâtant leur dissolution.

Selon certains experts, l'alcool peut accroître de 50 p. cent la rapidité d'action de certains médicaments.

Pour accélérer la mort, il faut non seulement que l'absorption interne soit rapide, mais aussi que l'ingestion orale se fasse rapidement. Dans les cas d'échecs que j'ai étudiés, les patients s'endormaient habituellement avant d'avoir pris une dose létale. Une fois qu'une personne est endormie, les médicaments doivent être administrés par voie intraveineuse ou rectale (suppositoires). Il se peut qu'on n'ait pas le médicament approprié, qu'on ne sache pas faire une injection intraveineuse ou qu'on ne désire tout simplement pas aller jusqu'à cet extrême pour aider quelqu'un à mourir.

Une personne qui souhaite l'autodélivrance doit ingérer les médicaments très rapidement. La meilleure façon d'y parvenir, à mon avis, c'est de les prendre de différentes façons. On peut d'abord avaler quelques comprimés avec de l'alcool, puis incorporer le reste de la dose létale à un dessert crémeux ou à du yogourt, qu'il faut ensuite avaler avec promptitude. (Pour obtenir la drogue sous forme de poudre, il faut soit vider les capsules, soit pulvériser les comprimés à l'aide d'un mortier ou dans un robot culinaire.)

Voici donc les étapes à suivre :

1. Une heure auparavant, prenez un repas extrêmement léger, comme du thé et des toasts, de telle sorte que votre estomac soit presque vide, mais pas complètement, afin d'éviter les nausées et la faiblesse.

2. Au même moment, prenez un médicament antiémétique, comme la Dramamine, qui préviendra les nausées.

3. Prenez environ une dizaine des capsules ou des comprimés choisis, avec la plus grande quantité possible d'alcool ou de vin. La vodka est extrêmement efficace. Si l'alcool vous rend malade, prenez plutôt une boisson gazeuse.

4. Vous devriez déjà avoir incorporé le reste des médicaments, sous forme de poudre, à une crème ou à du yogourt. Avalez-les le plus rapidement possible.

5. Ayez sous la main suffisamment d'alcool ou de boisson gazeuse pour vous aider à tout avaler. Cela aidera également à atténuer le goût amer des médicaments.

Dans chacun des deux cas d'autodélivrance auxquels j'ai assisté, la personne s'est endormie en quelques minutes et est demeurée inactive. Un correspondant des Pays-Bas m'a dit que, dans de rares cas, la personne peut parler ou ouvrir les yeux durant son sommeil. Les observateurs présents doivent s'attendre à ce que la personne respire bruyamment ou se mette même à ronfler. Cela n'est peut-être pas très agréable, mais c'est une indication certaine que les médicaments exercent leur effet toxique.

Si vous voulez que les autorités sachent qu'il s'agissait d'une autodélivrance, laissez près de vous le contenant de médicaments vide, afin que la police ou le coroner sachent immédiatement quelle substance vous avez prise. Cela éliminera la nécessité d'une autopsie complète ou partielle.

Si jamais je devais mettre fin à mes jours en raison de souffrances insoutenables, peu importe l'efficacité des drogues utilisées, j'aurais quand même recours à la technique du sac de plastique. Si cette idée vous rebute, vous devez alors accepter que vous courez une chance sur dix de vous réveiller et d'avoir à recommencer. Avec la technique du sac de plastique, l'autodélivrance est garantie.

CHAPITRE 23

Liste de contrôle

Si vous êtes fermement décidé à mourir à cause de vos souffrances et de l'état avancé de votre maladie, et si vous avez bien examiné les problèmes abordés dans cet ouvrage qui se rapportent à votre cas, vous devriez à présent passer en revue la liste suivante:

1. Assurez-vous que votre situation est réellement désespérée. Reparlez-en une dernière fois à vos médecins.

2. Si l'urgent désir de mourir est provoqué par la douleur physique, demandez à votre médecin d'augmenter la posologie de vos médicaments analgésiques. Si vous n'obtenez pas immédiatement ce que vous voulez, ne vous gênez pas pour insister. Faites du bruit.

3. Votre médecin vous aidera-t-il à mourir? Il se peut bien qu'il ou elle accepte. Vous n'avez rien à perdre en le demandant. Négociez franchement mais diplomatiquement. Si votre médecin refuse, vous devez respecter sa décision.

4. Passez aux actes chez vous, si vous le pouvez. Obtenez votre congé de l'hôpital, si cela est physiquement possible. Aucun hôpital n'a le droit de vous gar-

der contre votre gré, mais il se pourrait que vous ayez à signer une décharge, dans laquelle vous acceptez la responsabilité de votre geste.

5. Prévenez vos proches et vos amis que vous avez l'intention, dans un avenir rapproché, de mettre fin à vos jours parce que vous souffrez. Ne dévoilez pas le moment exact de votre suicide, sauf à ceux qui vous accompagneront dans vos derniers moments.

6. Assurez-vous de ne pas être dérangé pendant au moins huit heures. En règle générale, le vendredi soir et le samedi soir sont les périodes les plus tranquilles; il n'y a habituellement pas de transactions commerciales jusqu'au lundi matin.

7. Si quelqu'un vous accompagne lors de votre autodélivrance, pour éviter tout risque de poursuites ultérieures, rappelez-lui de ne pas vous toucher avant que vous soyez mort et d'être particulièrement discret après le fait.

8. Laissez une note expliquant les motifs de votre geste, ainsi que les documents afférents à votre testament de vie.

9. Assurez-vous de remettre à votre exécuteur testamentaire un testament dans lequel vous aurez exprimé vos dernières volontés quant à la disposition de vos biens.

10. Si vous avez une police d'assurance qui pourrait être affectée par votre geste, laissez-la où on pourra aisément la trouver.

11. Laissez des directives concernant votre dépouille (inhumation ou crémation) et vos funérailles.

12. Exprimez à vos proches tout ce que vous auriez pu omettre de leur dire pendant votre maladie.

Remerciez-les de tout ce qu'ils ont fait pour vous, cela les réconfortera après votre décès.

13. Le moment venu, n'oubliez pas de prendre des précautions quant au contenu de votre estomac.

14. Assurez-vous de ne pas avoir acquis une tolérance aux médicaments que vous prenez régulièrement. Si possible, cessez de prendre vos médicaments habituels et donnez le temps à votre organisme de les éliminer, probablement plusieurs jours.

15. Ne débranchez pas votre téléphone ni votre répondeur automatique. Toute modification de vos habitudes risquerait d'inquiéter quiconque tenterait de vous joindre. Baissez le volume de la sonnerie ou placez une couverture sur le téléphone, si vous ne voulez pas l'entendre.

16. Préparez soigneusement votre dernier geste, en vous efforçant de faire preuve de considération pour les autres. Ne laissez rien au hasard.

Posologie des médicaments à utiliser pour l'autodélivrance d'une maladie à issue fatale

Dénomination commune	Marques déposées	Dose létale	Toxicité	Nombre d'unités x dose habituelle
Amobarbital	Amytal, Amal (Australie), Eunoctal (France), Etamyl (Italie), Stadadorm (Allemagne), Tuinal si utilisé en combinaison avec du Seconal	4,5 g*	5	90 x 50 mg
Butabarbital (Secbutobarbitone)	Butisol, Ethnor (Australie)	3,0 g	5	100 x 30 mg
Codéine[4]	En combinaison avec de l'aspirine (Empirin, composés I à IV), avec du Tylenol (Tylenol, composés I à IV)	2,4 g	5	80 x 30 mg
Diazépam[1]	Valium, Apozepam (Suède), Aliseum (Italie), Ducene (Australie)	500 mg ou plus	4	100 x 5 mg
Flurazépam[1]	Dalmane, Dalmadorm (Danemark), Niotal (Belgique)	3,0 g	-	100 x 30 mg
Glutéthimide[1]	Doriden, Doridène (Belgique), Glimid (Pologne)	24 g	4	48 x 500 mg
Chloral hydrate[1]	Noctec, Chloratex (Canada), Sommox (Belgique)	10 g ou plus	4	20 x 500 mg
Hydromorphone[4]	Dilaudid, Pentagone (Canada)	100-200 mg	5	50 x 2 mg

Dénomination commune	Marques déposées	Dose létale	Toxi-cité	Nombre d'unités x dose ha-bituelle
Méprobamate[1]	Miltown, Equanil	45 g	3	112 x 400 mg
Méthyprylone[1]	Noludar	15 g	3	50 x 300 mg
Mépéridine[4] (Péthidine)	Demerol, Dolantin (Allemagne)	3,6 g	5	72 x 50 mg
Méthadone[4]	Dolophine, Adanon	300 mg	5	60 x 5 mg
Morphine[4]	(Ingrédient de la potion de Brompton)	200 mg	5	14 x 15 mg
Orphénadrine[5]	*Voir note 5. Utiliser uniquement en combinaison avec des barbituriques*	3 g	-	-
Phénobarbital[1]	Luminal, Gardenal (Canada), Fenical (Espagne)	4,5 g et plus	4	150 x 30 mg
Sécobarbital (Quinalbarbitone)	Seconal, Immenox (Italie), Dormona (Suisse), Secogen, Seral (Canada), Vesperax (Pays-Bas, Suisse) en combinaison avec Brallobarbital	4,5 g	4	45 x 100 mg
Propoxyphène[2]	Darvon, Dolotard (Suède), Abalgin (Danemark), Antalvic (France), Depronal (Pays-Bas)	2,0 g	5	30 x 65 mg
Pentobarbital	Nembutal (ou Carbrital si utilisé en combinaison avec du pentobarbital)	3,0 g	5	30 x 100 mg

* 1 g = 1 000 mg

Vous devez consulter les notes à la page suivante.

Notes

1. Ces substances peuvent être utiles si elles sont prises avec des drogues plus puissantes ou avec de l'alcool. Il n'est pas recommandé de les utiliser seules, à moins qu'il n'y ait pas d'autre solution possible.
2. Cette drogue, administrée en dose létale, provoquerait la mort dans un délai d'une heure suivant l'ingestion. Comme ce n'est pas un somnifère, il faudrait probablement la prendre avec un somnifère.
3. Suivant la classification utilisée dans l'ouvrage *Clinical Toxilology of Commercial Products,* la catégorie 3 signifie que la drogue est modérément toxique, la catégorie 4 signifie que la drogue est très toxique et la catégorie 5 signifie que la drogue est extrêmement toxique.

L'ingestion simultanée d'alcool accroît la toxicité de ces drogues d'environ 50 p. cent. Les drogues identifiées par le chiffre 1 deviennent beaucoup plus toxiques si elles sont prises avec de l'alcool. La combinaison de différentes drogues accroît généralement la toxicité; par exemple, la combinaison de somnifères (sécobarbital) et d'analgésiques narcotiques (mépéridine). Les antihistaminiques, comme le Benadryl ou les dérivés de la phénothiazine, comme la Compazine ou la Thorazine, accroissent considérablement l'effet des narcotiques ou des somnifères et sont souvent prescrits pour cette même raison.

4. Il faut généralement augmenter les doses, en présence d'une tolérance aux narcotiques. Prises par voie orale, la morphine, la méthadone et l'hydromorphine

ont un effet minime dans la plupart des cas, surtout si le patient prend déjà des médicaments à base de morphine pour soulager la douleur. L'administration par voie intraveineuse, ou par voie orale en combinaison avec des barbituriques, pourrait provoquer la mort.
5. Il est déconseillé de prendre Norgesic, Norgesic Forte, Norflex-Plus ou d'autres médicaments à dénomination commune, parce qu'ils sont une combinaison d'orphénadrine et de drogues moins toxiques. Norflex (3M) est une préparation à libération lente, qui agit trop lentement pour assurer l'autodélivrance. N'utilisez de l'orphénadrine qu'en poudre, en combinaison avec des barbituriques.

Notes supplémentaires fournies par un pharmacien

(A) Selon les recherches actuelles, le Valium seul a peu de chances d'être létal, même pris en grande quantité. Il pourrait être létal en combinaison avec de l'alcool, des barbituriques ou des narcotiques. On ne connaît aucun cas de mortalité provoquée par du Valium, sauf en combinaison avec d'autres médicaments (dont l'alcool, qui est certainement une drogue).
(B) Certaines autres drogues, comme les antihistaminiques et les tranquillisants, doivent être prises en doses massives pour provoquer la mort. Il n'a jamais été prouvé que l'analgésique propoxyphène (Darvon) soit plus efficace pour soulager la douleur que l'aspirine ordinaire. Mais, du point de vue de la toxicité, cette substance est complètement différente, car elle peut

provoquer la mort et ce, très rapidement, si on en prend une surdose.
(C) Les médicaments portent souvent des noms différents en Europe et en Amérique du Nord. Nous avons donc inclus, dans la liste ci-dessus, les marques déposées qui ont cours dans différents pays. Certains médicaments n'ont que quelques noms européens, tandis que d'autres, comme le diazépam (Valium), peuvent en avoir jusqu'à une douzaine. Les dénominations communes (ou génériques) de la plupart des médicaments sont presque partout les mêmes.

Références

Clinical Toxicology of Commercial Products, Williams and Wilkins Company, Baltimore, 1976.
DREISBACH, Robert H., *Handbook of Poisoning,* Lange Medical Publications, Los Altos, Californie, 1980.
Martindale's Extra Pharmacopoeia, The Pharmaceutical Press, Londres, 28e édition, 1982.

Mise en garde

Si vous envisagez le suicide parce que vous êtes malheureux, que vous vous sentez dépassé par les événements ou parce que vous êtes confus, veuillez ne pas utiliser ce tableau, mais plutôt communiquer avec un centre de prévention du suicide. La vie est trop précieuse pour êtres gaspillée inutilement. Les renseignements présentés dans cet ouvrage sont uniquement destinés *aux adultes qui ont atteint la maturité, souffrent d'une maladie à issue fatale et envisagent l'autodélivrance.*

Autres médicaments

Le cyanure est tout particulièrement déconseillé pour l'autodélivrance d'une maladie mortelle avancée, parce qu'il provoque une mort douloureuse et violente. De même, d'autres drogues disponibles sur le marché peuvent être fatales en surdose, mais elles produisent des effets secondaires pénibles et peuvent prendre beaucoup de temps à agir. C'est pourquoi nous ne les avons pas prises en considération pour accomplir l'auto-euthanasie dans la dignité.

DEUXIÈME PARTIE

L'euthanasie et le personnel soignant

CHAPITRE 1

L'euthanasie justifiable

Un très grand nombre de médecins croient en l'euthanasie justifiée, mais ils gardent le silence par crainte de poursuites criminelles. Une très petite minorité des médecins ont reconnu publiquement être convaincus du bien-fondé moral de l'euthanasie médicalement assistée. Cette reconnaissance publique leur fait d'ailleurs courir le risque d'être pointés du doigt, voire de devenir la cible d'une enquête.

Depuis 1978, j'ai prononcé des allocutions, sur invitation seulement, dans le cadre de plusieurs centaines de réunions organisées par les membres de la profession médicale. Habituellement, ces médecins, hommes et femmes, m'invitent à venir les rencontrer parce que leurs patients les ont mis dans l'embarras en leur posant des questions sur l'euthanasie médicalement assistée. En règle générale, après mon allocution, les affirmations et les questions viennent presque exclusivement des opposants et des personnes qui sont dans le doute. Les tenants de l'euthanasie gardent le silence, probablement par crainte de problèmes de politique interne. Puis, durant la pause café, un homme ou une femme me dira sur le ton de la confidence qu'il ou elle partage mes vues. «Cela se fait couramment, de toute façon», ajoutent-ils invariablement. Au cours des quelques jours qui suivent, je reçois souvent des mots d'encouragement de la part de quelques autres.

Lors de ces rencontres, les médecins qui s'expriment librement, parce qu'ils sont en faveur du statu quo, soulèvent presque toujours deux arguments:

1. Jamais, en 20 ou 40 ans de pratique, un patient ne leur a demandé une aide euthanasique.

2. L'euthanasie est inutile, car la médecine moderne a les moyens de soulager les souffrances intolérables.

Ma réponse au premier argument, c'est que les patients ne sont pas stupides. Ils sont habituellement capables de sentir si un médecin aura de la sympathie pour leur désir d'autodélivrance. Peut-être tâteront-ils d'abord le terrain auprès du personnel infirmier. Il se peut aussi qu'ils se fient à des critères subjectifs, comme le fait que le médecin porte un nom à consonance juive ou irlandaise, pour en conclure que celui-ci rejettera leur demande par conviction religieuse. (Le patient n'a pas toujours raison là-dessus). Le patient peut généralement évaluer, d'après le comportement du médecin, s'il sera possible de l'aborder.

Le deuxième argument, relatif à l'atténuation de la douleur et à la qualité des soins médicaux, nécessite une réponse beaucoup plus détaillée. Il est vrai que, grâce aux progrès de la médecine moderne, nous avons maintenant accès à d'excellents analgésiques qui, bien administrés, réussissent à atténuer ou à éliminer la douleur dans environ 90 p. cent des cas. Après avoir examiné la rare documentation médicale disponible sur le traitement de la douleur et assisté à des conférences données par des spécialistes de renommée internationale, j'en conclus que la médecine reste impuissante à soulager la douleur dans 10 p. cent des cas. Nous devons être compatissants envers ceux qui appartiennent à cette catégorie de malades. Ce pourrait d'ailleurs être vous et moi.

Mais ce qui est encore plus important que ces 10 p. cent, ce sont toutes les formes de souffrances qui s'ajoutent aux souffrances physiques. J'ai la très nette et très pénible impression que la plupart des médecins ne mesurent pas pleinement les effets psychologiques ressentis par les malades en phase terminale. Mais même s'ils les mesuraient, que pourraient-ils faire pour les soulager? Pas grand-chose. C'est peut-être ce qui pousse un patient à demander une aide euthanasique, et cette requête mérite notre respect.

Raisons médicales justifiant l'aide euthanasique

N'étant ni médecin ni infirmier, je n'ai pas la prétention d'enseigner la médecine. Cependant, la question de l'inconfort et de la détresse des malades est si importante et si souvent minimisée, qu'il vaut la peine d'en énumérer ici certaines sources:

- Chez les patients qui souffrent de fatigue, de douleurs et de difficultés respiratoires, l'insomnie mène fréquemment à l'épuisement physique.

• Les malades en phase terminale souffrent souvent de difficultés respiratoires.

• Le patient épuisé nécessite une attention médicale constante.

• Les nausées et les vomissements peuvent être des effets des médicaments administrés ou de la maladie elle-même. Les vomissements fatiguent, désorientent et affaiblissent le patient.

• L'incontinence est dégradante pour la dignité personnelle du patient, qu'elle rend encore plus dépendant des autres.

• La salivation excessive provoquée par le blocage de la gorge oblige le malade à cracher sans cesse, ce qui est fatigant et déprimant.

• La soif.

• Les escarres (plaies de lit) chez les patients qui sont difficiles à déplacer, particulièrement s'ils sont corpulents.

• La transpiration.

• La faim.

• La toux.

• Les infections fongiques de la bouche.

• La constipation, en particulier celle qui est causée par les médicaments renfermant de la morphine ou d'autres narcotiques.

• Les démangeaisons, qui sont aggravées par la jaunisse.

• Les infections liées aux sondes et aux cathéters.

• La dépendance envers les autres, surtout pour les personnes qui étaient auparavant entièrement autonomes.

• Les hoquets.

• La perte de poids.

• La perte de dignité qui peut accompagner la confusion mentale, la désorientation, la perte de la mémoire, ainsi que d'autres altérations du comportement ou des facultés intellectuelles qui sont si fréquentes aux derniers stades de bien des maladies.

N'importe lequel de ces problèmes persistants peut devenir intolérable pour un patient déjà déprimé à la pensée de mourir, de laisser ses proches, de ne pas avoir réalisé tous ses rêves, et de perdre ses biens matériels. En plus de ces souffrances psychiques, la plus grande crainte d'un patient à l'article de la mort est peut-être que son état continue de s'aggraver avant la fin. Cette anxiété peut être présente dès l'annonce du diagnostic, malgré toutes les tentatives de réconfort.

Le personnel soignant devrait non seulement tenter d'atténuer ces inquiétudes et ces angoisses, mais aussi en tenir compte lorsque le patient leur demande l'euthanasie.

Raisons professionnelles justifiant l'aide euthanasique

Il existe de très nombreuses raisons pour lesquelles un médecin serait justifié d'aider un malade en phase terminale à mourir. En voici quelques-unes:

• Les médecins savent mieux que quiconque à quel moment et de quelle manière le patient est susceptible de mourir. Si le patient demande l'euthanasie et que cette solution est prématurée ou non justifiée, c'est le médecin qui sera le mieux placé pour présenter au patient des arguments dissuasifs.

• Seuls les médecins ont légalement accès aux médicaments mortels, connaissent les techniques d'administration appropriées et peuvent éviter les erreurs pharmacologiques liées à la tolérance aux médicaments et aux interactions médicamenteuses.

• Les médecins ont été entraînés à observer certains critères avant d'agir. L'expérience hollandaise démontre que l'euthanasie doit reposer sur des méthodes et des préparatifs soignés.

• Certains patients, comme ceux qui souffrent de sclérose latérale amyotrophique ou de cancer de la gorge, sont incapables d'avaler; leur euthanasie devra donc être obtenue par l'administration d'une injection.

Raisons sociales justifiant l'aide euthanasique

• Lorsqu'ils arrivent à la fin de leur vie, certains individus ne connaissent personne qui puisse les aider à mourir. Par exemple, il arrive fréquemment que les veuves survivent à leurs proches parents et amis.

• Il arrive parfois que les parents d'un patient soient aux prises avec de graves problèmes émotifs qui les rendent incapables d'intervenir. La personne à laquelle s'adressera le patient mourant pourrait être accablée par la culpabilité, par le sentiment d'avoir laissé des affaires en suspens ou même par des problèmes financiers.

• Le patient aura sans doute peur d'agir seul, de crainte de ne pas réussir, puis d'avoir à vivre avec le stigmate du suicide raté, ou même avec des lésions physiques.

• Le rôle du médecin est de traiter et d'atténuer la souffrance. Quand tous les traitements ont été épuisés et que le patient demande l'euthanasie, l'intervention du médecin est tout à fait appropriée.

• À ce moment critique, seul le médecin est un intervenant indépendant, libre de tout lien émotif ou historique, et en possession de la technologie et des compétences nécessaires pour mettre fin, avec certitude et douceur, à la vie du patient. La mort doit être soigneusement négociée, et le patient et le médecin doivent en partager les responsabilités.

Raisons justifiant une non-intervention

Le médecin agira judicieusement et équitablement s'il refuse d'intervenir dans l'une ou l'autre des circonstances suivantes:

• L'euthanasie va à l'encontre de ses principes moraux.

• Le médecin connaît à peine le patient, ou il n'existe pas de relation de respect mutuel entre les deux personnes.

• Le médecin n'est pas parfaitement au courant de l'état de santé du patient. Ce n'est pas le moment de poser des gestes hâtifs ou irréfléchis, qu'on pourrait ensuite regretter.

• Il subsiste des traitements qui offrent une chance réelle de guérison ou de rémission. (Mais ce n'est pas non plus le moment de recourir à la médecine expérimentale). Le patient a le droit ultime de choisir, dans la mesure où il s'agit d'une décision éclairée.

• Le patient qui demande une aide euthanasique est manifestement déprimé et n'est pas en pleine possession de ses facultés. Cette dépression pourrait être traitée. Nous ne devons pas oublier que la pensée de la mort suffit en soi à provoquer une certaine dépression; il est donc indiqué d'attendre et de voir si elle passe. Sinon, il faut la traiter au moyen des médicaments appropriés et vérifier si elle est provoquée par d'autres facteurs, comme un stress d'ordre familial ou financier. Si le médecin doute de la lucidité du patient, il pourra demander une évaluation psychologique ou psychiatrique, après avoir obtenu le consentement du patient.

L'avis du Dr Joseph J. Neuschatz, anesthésiste à Long Island, dans l'État de New York, résume éloquemment ma pensée: «Je crois profondément que la vie se termine quand une personne atteinte d'une maladie incurable perd la volonté de vivre. Une semaine, une journée, ou une heure de plus ne signifie que des souffrances et des douleurs inutiles, et une agonie prolongée. Le rôle du médecin moderne devrait consister à prolonger la vie, et non la mort, à promouvoir la santé et la joie de vivre, et non la douleur et les souffrances.» Il poursuit: «L'autodélivrance médicalement assistée devrait être accessible à tout patient incurable qui en fait la demande.» (*New York Doctor,* 30/7/90.)

Dans un long et percutant article publié dans le *New England Journal of Medecine* (30/3/89) par 12 éminents médecins américains, 10 d'entre eux ont eu le courage d'affirmer qu'«il n'est pas immoral pour un médecin d'aider le suicide rationnel d'un malade en phase terminale».

CHAPITRE 2

La machine à suicide du Dr Kevorkian

Le 4 juin 1990, le Dr Jack Kevorkian posa un geste qui a profondément choqué les médecins et fait les manchettes internationales: il a aidé une femme à se suicider et, le lendemain, en a parlé ouvertement dans le *New York Times*. Cette femme, qui en était aux premiers stades de la maladie d'Alzheimer, n'était pas sa patiente.

Cet événement déclencha, autour de la question de l'euthanasie, une controverse d'une ampleur encore sans précédent. Le public se montra généralement favorable au Dr Kevorkian; les médias lui firent une cour assidue pendant deux mois; et les membres des professions médicale et psychiatrique versèrent dans la confusion la plus totale, émettant simultanément des déclarations contradictoires de blâme et d'appui.

La patiente

Janet Adkins, âgée de 54 ans, était heureuse en ménage et mère de trois fils adultes. Un an auparavant, ses médecins lui avaient révélé qu'elle était atteinte de la maladie d'Alzheimer, affection dégénérative du cerveau. Elle s'était jointe à une société en faveur de l'euthanasie avant de connaître son état. Mme Adkins, qui était physiquement et intellectuellement active, fut horrifiée quand la maladie commença à altérer ses facultés mentales. Avec le consentement de son mari, elle décida donc de mettre un terme à sa vie avant que les symptômes de sa maladie ne s'aggravent. Elle avait reçu tous les traitements médicaux reconnus, et même certains traitements expérimentaux.

Elle s'adressa à trois médecins de la région de Portland, en Oregon, où elle résidait, pour leur demander une aide euthanasique. Deux de ces médecins étaient membres de la même société qu'elle. À différentes périodes, toute la famille Adkins participa à des séances de thérapie familiale dirigées par une psychologue qualifiée. Cette thérapie se poursuivit jusqu'à la semaine précédant la mort de Janet Adkins. «Mme Adkins et les membres de sa famille avaient accepté sa décision de mourir quand elle le choisirait», m'a plus tard révélé la thérapeute Myriam Coppens.

Mme Adkins croyait en Dieu et était membre de l'Église unitaire. Elle avait informé son pasteur de son projet.

Malgré leur sympathie manifeste pour l'euthanasie, aucun des trois médecins auxquels elle s'adressa n'accepta de l'aider directement à mourir. Elle désirait que l'un d'eux lui administre les médicaments qu'elle avait en sa possession, car comme bien d'autres, elle craignait de faire une erreur. Il semblerait que leur refus était fondé sur le fait qu'elle n'était pas leur patiente et que le risque de poursuites était beaucoup trop grand.

L'un de ces médecins m'a indiqué qu'au cours de sa carrière il avait déjà aidé six personnes à mourir en leur administrant des médicaments. Toutes ces pesonnes étaient des patients respectés, qui avaient demandé l'euthanasie dans des circonstances médicales justifiables.

Janet Adkins avait entendu parler du Dr Kevorkian par les médias, à la fin de 1989. Elle avait même vu sa machine à suicide et appris son mode de fonctionnement à l'émission *Donahue Show*. Comme des milliers de personnes dans son cas, elle souhaitait une mort douce, certaine et digne, et c'était précisément ce qu'offrait le Dr Kevorkian. Elle prit donc contact avec lui, et il lui suggéra de venir le trouver quand le moment serait venu.

Jack Kevorkian a obtenu son diplôme de médecine de l'Université du Michigan en 1952. Étudiant remarquable, il s'est par la suite spécialisé en pathologie. Également musicien et peintre accompli, le Dr Kevorkian a pratiqué en milieu hospitalier au Michigan et en Californie, et il s'est toujours profondément intéressé aux différents aspects du processus de la mort.

Il a déjà transfusé du sang prélevé sur des personnes récemment décédées et réalisé une étude spéciale sur des rétines humaines, afin d'établir à quel moment la mort devient irréversible. En 1958, on lui demanda de quitter son poste de pathologiste à Ann Arbor, parce qu'il voulait persuader des meurtriers condamnés à mort en Ohio de se porter volontaires pour des expériences médicales. Après des années de vaines recherches, une revue médicale étrangère accepta enfin, en 1986, de publier son article sur les avantages éventuels des expériences médicales pratiquées sur des prisonniers condamnés à mort.

En 1988, le Dr Kevorkian entra en contact avec moi, parce que j'étais directeur d'une société en faveur de l'euthanasie. Il me proposait d'ouvrir une clinique de suicide où je pourrais référer les malades en phase terminale qui désiraient l'euthanasie. Il soutenait que son projet était une nécessité sur le plan humanitaire et qu'il contribuerait en outre à faire avancer la cause de l'euthanasie si jamais on lui intentait des poursuites pour avoir aidé un suicide, ce qui était prévisible.

Je fis valoir au Dr Kevorkian que toute infraction à la loi risquait de compromettre la campagne menée par le mouvement en faveur de l'euthanasie en vue d'obtenir, justement, la légalisation de l'euthanasie médicalement assistée pour les malades en phase terminale. À contrecœur, il accepta mes arguments.

Comme aucun hôpital ne voulait l'embaucher à cause de ses vues controversées, Jack Kevorkian cessa de pratiquer en 1988, mais conserva sa licence de médecine. Ostracisé par la profession médicale, il se fit faire des cartes professionnelles indiquant: *Jack Kevorkian, M.D., bioéthique et obiatrie. Counselling euthanasique.* (Le Dr Kevorkian définit l'«obiatrie» comme la mort médicalement assistée.)

À la fin de 1989, il annonça publiquement qu'il avait mis au point une machine à suicide. Les médias se montrèrent intéressés pendant environ deux semaines, et bien des gens furent fascinés. Certains malades le virent comme le nouveau messie et de nombreuses personnes lui demandèrent de leur venir en aide. Janet Adkins lui fit parvenir son dossier médical.

Le lieu et l'entrevue

Accompagnée par son mari, Janet Adkins prit l'avion pour se rendre à Royal Oak, au Michigan, à 3 200 km de chez elle, afin de rencontrer le Dr Kevorkian. Cette entrevue, que le Dr Kevorkian prit bien soin d'enregistrer sur vidéo, le persuada qu'elle était parfaitement lucide. Jack Kevorkian avait cherché, pendant des semaines, un lieu qui conviendrait à l'intervention. Salon funéraire, bureaux, églises et motels locaux avaient tous refusé l'utilisation de leurs installations, tout comme les membres d'une société en faveur de l'euthanasie à qui il s'était également adressé. On ignore pourquoi il n'a pas utilisé son propre appartement.

Janet Adkins est décédée dans la camionnette Volkswagen du Dr Kevorkian, dans un terrain de camping de Grovelands, comté de Oakland, au Michigan. Le docteur avait installé des rideaux pour plus d'intimité. Mme Adkins refusa que son mari, avec qui elle vivait depuis 34 ans, assiste à sa mort; il resta donc dans un hôtel des environs jusqu'à ce qu'on l'informe de la mort de sa femme.

La machine à suicide

Le Dr Kevorkian avait suspendu trois bouteilles à un petit support d'aluminium: la première contenait une solution saline, la deuxième renfermait du penthotal sodique et la troisième, une solution de chlorure de potassium et de succinylcholine. Un petit moteur électrique, provenant d'un jouet, assurait l'alimentation des tubes intraveineux.

Voici comment s'est déroulé l'intervention:

1. La solution saline, non toxique, arrivait par un tube intraveineux relié au bras de Mme Adkins.

2. Des électrodes placés sur ses bras et ses jambes assuraient le monitorage de l'activité coronarienne.

3. Lorsque Janet Adkins fut prête à mourir, elle n'eut qu'à appuyer sur un bouton pour couper l'alimentation en solution saline et déclencher l'alimentation en penthotal (thiopental). Sous l'effet du barbiturique, elle s'endormit en 30 secondes.

4. Une minuterie, reliée à un tube joignant les deuxième et troisième contenants, se déclencha une minute plus tard. Le chlorure de potassium et la succinylcholine (un relaxant musculaire) commencèrent à s'écouler dans les veines de Janet Adkins, maintenant inconsciente. La mort survint six minutes plus tard.

Le Dr Kevorkian informa le bureau du médecin légiste, M. Adkins et le *New York Times*, qui consacra à l'affaire la majeure partie de sa une du lendemain.

La loi

Le Dr Kevorkian savait que le Michigan, où il réside, est l'État américain qui possède les lois les plus ambiguës en matière d'aide au suicide; la jurisprudence fait état de cas allant de sentences extrêmement punitives à l'exonération complète des accusés. C'est d'ailleurs au Michigan qu'eut lieu la première poursuite pour euthanasie, en 1920, quand Frank Roberts fut accusé d'avoir aidé sa femme à se suicider. Cette dernière souffrait de sclérose en plaques et avait déjà tenté de se suicider. À sa demande, Frank Roberts dilua un composé de l'arsenic avec de l'eau, mit le mélange à sa portée, et elle but. Accusé de meurtre au premier degré, Roberts fut condamné à l'emprisonnement à vie et aux travaux forcés; l'affaire, *People c. Roberts,* fut inscrite dans les annales du droit, mais Frank Roberts tomba dans l'oubli et mourut probablement en prison.

En 1983, on assista à un retour du balancier quand un jeune homme, Steven Paul Campbell, fut accusé de meurtre au premier degré pour avoir laissé une arme à feu et des munitions à la portée d'un ami, qui les utilisa pour s'enlever la vie. La victime souffrait de dépression et avait un grave problème d'alcoolisme. Campbell fut acquitté quand la Cour d'appel du Michigan déclara: «La législature n'a pas défini l'aide au suicide comme un crime. Aider un suicide n'entre donc pas dans la définition de l'homicide.»

Les autorités policières du Michigan s'empressèrent toutefois de mettre un frein aux activités du Dr Kevorkian. Ils demandèrent à la cour d'émettre une ordonnance restrictive provisoire, leur permettant de saisir son véhicule, sa machine à suicide et ses médicaments. La cour émit également une ordonnance lui interdisant d'aider d'autres personnes.

La «plainte» officielle qu'on déposa contre lui indiquait, en partie, qu'«il était vraisemblable que d'autres candidats au suicide fassent appel à ses services». En fait, il fut inondé de demandes, mais s'abstint de toute nouvelle intervention.

La publicité entourant l'affaire Kevorkian-Adkins mena indirectement, deux mois plus tard, à des accusations de meurtre contre un Californien, Robert Bertram Harper, pour avoir aidé sa femme à se suicider dans un motel du comté de Wayne, comté voisin de celui du Dr Kevorkian. Virginia Harper, qui souffrait de cancer généralisé, voulait absolument mettre fin à ses jours en présence de son mari et de sa fille, surtout parce qu'elle ne voulait pas rater son coup, comme elle l'avait fait un an auparavant, en agissant seule.

Le trio se rendit en avion de Sacramento au Michigan, et s'installa dans un motel de Romulus, près de Detroit. Quelques heures plus tard, Mme Harper tenta de se suicider en prenant dix capsules de Dalmane pour s'endormir et en se mettant un sac de plastique sur la tête. Mais elle ne parvint pas à s'endormir, probablement à cause des effets du décalage horaire et du stress lié au fait de se trouver dans des lieux étrangers et surchauffés, et elle enleva à plusieurs reprises le sac de plastique. Son mari et sa fille réussirent enfin à la calmer et Bob Harper — ce fut là son erreur — replaça le sac de plastique sur la tête de sa femme et le fixa autour de son cou avec des élastiques. Elle s'endormit paisiblement et mourut comme elle l'avait souhaité.

Comme il était au courant de l'affaire *People c. Campbell* et qu'il avait été influencé par le récent battage publicitaire entourant l'affaire Kevorkian, M. Harper raconta tout à la police. Il fut arrêté et accusé de meurtre au premier degré, la poursuite se fondant sur le fait qu'il avait admis **avoir fourni une assistance matérielle** contribuant à la mort de sa femme. Le lendemain, le procureur du district émit un communiqué de presse indiquant que les gens commettaient une grave erreur en croyant qu'ils pouvaient se rendre au Michigan pour aider impunément quelqu'un à commettre un suicide; dans une certaine mesure, cette déclaration laissait entendre qu'on avait décidé d'utiliser Jack Harper à des fins de dissuasion.

Six mois après la mort de Janet Adkins, le Dr Kevorkian fut, lui aussi, accusé de meurtre. Dix jours plus tard, un juge rendit une ordonnance de non-lieu pour absence de preuves.

Conséquences morales

Si l'on en juge par les lettres et les articles parus dans les journaux et les magazines, la plupart des médecins étaient opposés au geste du Dr Kevorkian. Quelques braves l'ont soutenu. Je crois, par expérience, que beaucoup d'autres médecins étaient d'accord avec lui, mais se sont tus par crainte de compromettre leur carrière. Il faut qu'un médecin ait beaucoup de courage et une solide situation financière pour se prononcer en faveur d'une intervention qui demeure actuellement une possible action criminelle. (Selon la plupart des experts, le Dr Kevorkian aurait immédiatement été accusé de meurtre s'il avait agi ailleurs qu'au Michigan, où la loi est particulièrement ambiguë.)

Les autorités religieuses ont condamné le Dr Kevorkian. «Une machine à suicide est une abomination morale», déclara un porte-parole de l'archidiocèse de Detroit. «Dieu est le seul maître de la vie, du début à la fin.» Mais l'Église de Mme Adkins, l'Église unitaire, défendit son droit d'agir selon sa situation et sa conscience.

Des médecins ont déclaré que l'utilisation, par le Dr Kevorkian, d'une machine dotée d'un dispositif transférant le contrôle du médecin au patient, constituait une dérobade sur le plan éthique. «Même s'il s'en tire du point de vue juridique, déclara un médecin, il reste une responsabilité morale qu'on ne peut passer sous silence.» Quelques mois plus tard, le conseil d'administration de la Société médicale de l'État du Michigan adopta une position semblable. «Nous ne croyons pas qu'un médecin puisse décider arbitrairement que l'euthanasie est correcte du point de vue légal et moral. Mais le fait d'administrer ou de procurer des médicaments à une personne n'est pas nécessairement différent du fait d'interrompre la chimiothérapie ou l'administration d'antibiotiques.» La société médicale refusa de condamner la machine à suicide du Dr Kevorkian et ne fit aucune recommandation visant la révocation de sa licence, ce qui aurait certainement été le cas autrefois (*Ann Arbor News,* 21/9/90).

J'approuvais l'intervention du Dr Kevorkian, parce que je savais pertinemment que Mme Adkins envisageait le suicide depuis au moins six mois, qu'elle s'était adressé à d'autres médecins qui avaient refusé de l'aider et que toute sa famille participait à une thérapie. Mais ce n'est pas mourir dans la dignité que d'avoir à parcourir 3 200 km pour s'éteindre dans une camionnette garée dans un terrain de camping. Il faut que les lois soient réformées afin que l'euthanasie médicalement assistée puisse se pratiquer dans la compassion, à domicile ou à l'hôpital.

Le Dr Kevorkian se défendit vigoureusement contre ses critiques et déclara qu'il aiderait d'autres personnes à mourir dès que ses problèmes juridiques seraient réglés. Mais il semblait avoir des doutes quant à la façon dont devrait se dérouler le suicide médicalement assisté. Trois mois après avoir défié l'indécision de la profession médicale à l'égard de l'euthanasie, voici le plan qu'il proposait au *Detroit News:* «Si un malade en phase terminale me demandait de l'aider à mourir, je me rendrais chez cette personne et j'en discuterais avec elle, avec sa famille, avec son pasteur et avec tous ses médecins. Je leur expliquerais la méthode envisagée, puis les médecins pourraient déterminer si ce procédé convient au cas particulier. La décision pourrait alors être prise par un conseil spécial, constitué à cette fin.»

Cette démarche ne correspondait en rien à la façon dont il avait procédé dans le cas de Mme Adkins. Elle ne correspondait pas non plus avec son intention avouée d'ouvrir des centres de suicide dans différentes régions des États-Unis. Je finis par m'opposer au Dr Kevorkian et soutins qu'il n'était pas nécessaire d'ouvrir des centres de suicide, car il suffisait de modifier les lois en adoptant la Loi sur le droit de mourir dans la dignité *(The Death With Dignity Act),* pour pouvoir aider les gens à mourir paisiblement chez eux, ou à l'hôpital, selon un accord négocié en privé entre le médecin et le patient. De plus, il ne pourrait jamais y avoir suffisamment de centres de suicide pour répondre aux besoins des malades incapables de se déplacer.

De tels centres pourraient être la source d'abus graves, à moins d'être rigoureusement réglementés.

De plus, la perspective de devoir s'en remettre aux décisions de conseils de médecins sur des questions de vie ou de mort n'offre aucun attrait à la plupart des tenants de l'euthanasie, qui préfèrent prendre leurs propres décisions en matière de qualité de vie, puis obtenir le soutien discret et légal du médecin traitant.

Une controverse considérable était centrée sur la question suivante: Mme Adkins était-elle en phase terminale et n'a-t-elle pas mis un terme précoce à sa vie? On la blâma de s'être suicidée quelques jours à peine après avoir joué au tennis avec l'un de ces fils, sans tenir compte du fait qu'elle n'était même plus capable de se souvenir du pointage. Ce qui a poussé Mme Adkins au suicide, c'est qu'elle savait que son esprit se détériorait et que son état allait s'aggraver considérablement au cours des deux années suivantes.

La maladie d'Alzheimer est-elle une maladie à issue fatale? Certains prétendent que non, d'autres soutiennent qu'elle doit être considérée comme telle, car elle est incurable et que la mort est provoquée par d'autres maladies qui attaquent l'organisme affaibli. La maladie d'Alzheimer n'est pas la seule à tuer indirectement ses victimes. Cette maladie fait peur à tout le monde, car on sait qu'elle peut évoluer sur une période de cinq à dix ans, imposant ainsi un énorme fardeau à la famille. On peut la considérer comme une «mort d'esprit» ou une «mort cérébrale partielle».

Le Dr Kevorkian s'est attiré autant de louanges que de critiques, mais il reste qu'il a sans aucun doute rendu un important service à la société en obligeant les membres de la profession médicale à revoir leurs positions sur l'euthanasie. Des organismes en faveur de l'euthanasie préconisent depuis des années l'adoption d'une solution préférable à l'autodélivrance dans la solitude ou au suicide médicalement assisté clandestin.

CHAPITRE 3

L'euthanasie médicale

De plus en plus de médecins reçoivent des demandes d'euthanasie active de la part de patients mourants. Les chapitres suivants visent à aider les médecins et le personnel infirmier à accomplir cette intervention délicate avec confiance et compétence.

Voici, en termes généraux, les critères qui devraient déterminer quels malades sont susceptibles de recevoir l'euthanasie:

1. Le patient fait des demandes systématiques et répétées d'euthanasie parce que ses souffrances sont devenues insoutenables. La cause sous-jacente de ces souffrances doit être une maladie physique en phase terminale, mais les effets psychologiques de cette affection doivent également être pris en compte. Pour assurer la tranquillité d'esprit de tous, les demandes du patient doivent être confirmées par écrit, signées et contresignées par un témoin.
2. Deux médecins reconnaissent, sur la base d'un jugement médical, que le patient mourra vraisemblablement au cours des prochains mois. Ce consensus doit également être énoncé par écrit.

3. Le patient est conscient de son état et connaît les options médicales qui s'offrent à lui, y compris les soins en hospice.
4. Les membres de la famille ont été informés de la demande du patient et leur avis a été pris en considération. Aucun membre de la famille, ni la famille dans son ensemble ne peuvent autoriser ou interdire l'euthanasie.
5. Seul le patient peut déterminer le moment de sa mort. Il peut également changer d'avis, verbalement ou par écrit, en tout temps. Immédiatement avant de provoquer la mort, le médecin doit, en présence d'un témoin, demander au patient s'il maintient sa décision.
6. Seul un médecin qualifié peut provoquer la mort, et de la façon la plus humaine possible, approuvée par le patient.

Ces critères ne sont proposés qu'à titre de lignes directrices en matière d'éthique. Ils sont actuellement illégaux partout, sauf aux Pays-Bas. Toutes les personnes qui interviennent dans l'acte d'euthanasie doivent réfléchir au risque qu'elles courent advenant des poursuites judiciaires. Cependant, dans la mesure où l'aide à l'euthanasie est justifiable sur le plan humanitaire, et accomplie de manière réfléchie et discrète, le risque de poursuites est très mince. De nos jours, l'opinion publique est favorable à cette forme de compassion, et les procureurs sont sensibles à ce facteur.

Il y aura toujours des cas d'exception, tel celui d'un patient extrêmement malade dont les souffrances sont intolérables, qui n'a aucune chance de guérison, mais qui n'est pas en phase terminale au sens propre du terme. La maladie d'Alzheimer, la sclérose en plaques à un stade avancé et la sclérose latérale amyotrophique en sont des exemples types. Dans ces maladies, et dans d'autres affections plus rares, la douleur peut être extrême. Ce sont des maladies incurables dont l'évolution est inexorable. Le patient peut demander que sa mort soit devancée. L'équipe soignante doit alors se demander si elle doit intervenir. Après un examen complet des circonstances, je crois qu'elle pourrait, de bon droit, décider d'agir. Certains dilemmes humains échappent à tout critère normalisé; chaque cas doit être évalué individuellement.

À la maison ou à l'hôpital?

Le lieu où s'effectuera l'euthanasie n'est important que si le patient doit, en raison de ses symptômes, être hospitalisé. Idéalement, l'euthanasie devrait se dérouler chez le patient, en présence des personnes dont il souhaite être entouré. Mais qu'elle s'accomplisse à l'hôpital ou à la maison, l'aide à l'euthanasie devrait toujours respecter les mêmes normes rigoureuses de consultation et de considération. Dans le chapitre sur l'euthanasie et le personnel infirmier, je traiterai des aspects qui se rapportent au travail d'équipe des professionnels de la santé.

Une fois que la décision d'accélérer la mort a été prise, le médecin pourra consulter le pharmacien au sujet du médicament le plus approprié pour le patient. Si le pharmacien a des doutes sur l'euthanasie, il devrait les exprimer et, si ses craintes persistent après avoir discuté de la situation, il devrait s'abstenir de participer. Une fois qu'on aura convenu du médicament et de la dose à administrer, il faudrait aussi l'énoncer par écrit. Le pharmacien devrait remettre les médicaments choisis directement au médecin, dans un contenant clairement étiqueté.

La plupart des médecins ont des connaissances très restreintes sur les méthodes d'euthanasie. On leur apprend la valeur thérapeutique des médicaments, mais pas comment on peut les utiliser à des fins euthanasiques. Dans les chapitres suivants, j'expose les méthodes scientifiques mises au point, au cours des 20 dernières années, par les médecins et les pharmaciens hollandais. C'est la meilleure documentation dont nous disposions.

Comme elle se pratique dans le secret, l'expérience de l'euthanasie n'est pas partagée. Ainsi, mes principales sources documentaires sont un rapport de la Société royale néerlandise pour l'avancement de la pharmacie, ainsi que des rapports recueillis au cours des 12dernières années, à l'occasion de conférences et de rencontres personnelles avec des médecins hollandais.

Quelles sont les meilleures drogues?

La substance idéale doit assurer une euthanasie rapide et sans douleur. La substance choisie dépendra de l'état du patient, de sa préférence pour une voie d'administration (orale ou par injection) et des médicaments qu'il reçoit déjà.

La substance doit pouvoir être administrée par voie intraveineuse ou intramusculaire, par voie orale ou par insertion rectale. Comme aucune substance ne se prête à tous ces modes d'administration, il faudra considérer l'administration de plusieurs substances.

Aux Pays-Bas, la plupart des patients préfèrent l'euthanasie par injection, mais certains choisissent de «boire la ciguë» (pour employer une métaphore classique). Les liquides sont préférables aux comprimés ou aux capsules, car ils sont plus faciles à avaler et agissent plus rapidement étant déjà dissous. Leurs inconvénients: il peuvent provoquer des vomissements ou avoir un goût désagréable qui les rend imbuvables.

La rapidité de la mort provoquée par une substance létale prise par voie orale repose sur le contenu de l'estomac et des intestins. J'ai exposé cette question dans le chapitre 22, qui traite de l'audodélivrance. Après l'administration de la substance, le médecin devrait rester au chevet du patient. S'il doit s'absenter, un infirmier ou une infirmière devrait prendre la relève. Le médecin doit revenir à intervalles réguliers, jusqu'à ce que la mort survienne.

Les meilleures combinaisons médicamenteuses à utiliser pour l'auto-euthanasie sous surveillance médicale sont exposées dans un chapitre ultérieur. Il existe plusieurs voies d'administration possibles, mais elles varient sur le plan de la qualité et de la fiabilité.

Administration par voie rectale

Il s'agit d'une méthode de dernier recours, en raison de la nécessité d'un lavement préalable et de la position que doit adopter le patient. De nombreux patients auront en outre de la difficulté à garder le suppositoire. Si l'on opte pour cette méthode, il est recommandé d'utiliser des suppositoires contenant des barbituriques sous forme de sel sodique, car ils ont tendance à détendre les intestins. Mais le principal inconvénient des suppositoires est qu'il est difficile d'administrer une dose suffisante pour être létale. De plus, leur puissance est réduite par la lenteur de l'absorption dans le flux sanguin. L'éventualité de devoir administrer d'autres suppositoires à un patient inconscient constituera probablement un inconvénient psychologique pour le médecin.

Administration par voie intramusculaire

La rapidité d'action de ce mode d'administration dépend de la composition de la solution administrée et de la vitalité de l'appareil circulatoire du patient. Il est donc difficile de prédire le temps qu'il faudra pour que la mort survienne. Le processus sera considérablement accéléré si l'on fait une injection intramusculaire profonde dans la région de l'organisme la mieux irriguée par le sang, et si l'on masse ensuite cette région.

Administration par voie intraveineuse

L'injection intraveineuse est la méthode idéale, car elle entraîne une mort rapide. Si le patient reçoit déjà un analgésique par sonde intraveineuse, la substance létale pourra probablement être introduite de cette façon.

Administration par voie sous-cutanée

Selon les experts hollandais, cette méthode ne convient pas aux fins de l'euthanasie car elle présente, comme l'injection intramusculaire, des difficultés qu'on ne peut surmonter à l'aide de techniques.

Quelle quantité?

Le volume utilisé dépendra en partie de la méthode retenue. L'administration par voie orale nécessitera probablement 100 ml de liquide; l'injection intramusculaire, 10 ml, qu'il faudra idéalement administrer en deux temps, en deux endroits différents.

Combien de temps?

La substance létale devrait provoquer un coma profond et irréversible en quelques minutes, au maximum 30 minutes. La mort devrait survenir dans la demi-heure suivante ou, dans le cas de l'administration orale, dans un délai maximal de quelques heures. Selon ma propre expérience, ma première femme (42 ans, cancer des os) a pris une surdose par voie orale, a immédiatement perdu conscience et est décédée 50 minutes plus tard. Onze ans plus tard, j'étais mieux informé et mon beau-père (92 ans, insuffisance cardiaque) est décédé en 20 minutes. Dans les deux cas, nous avions utilisé du sécobarbital.

La principale leçon que j'ai tirée de mes observations au cours des années qui se sont écoulées entre ces deux décès, c'est que l'ingestion rapide de la surdose constitue un facteur crucial. Pour produire une euthanasie sans douleur, il faut asséner au système nerveux central (SNC) un coup puissant et rapide. C'est pourquoi l'injection intraveineuse est préférable à l'administration par voie orale.

Effets secondaires

Quelle que soit la drogue utilisée, elle ne doit pas provoquer d'effets psychologiques indésirables, tels que la dépression, la douleur, l'angoisse ou des hallucinations. Elle ne doit pas non plus provoquer d'effets physiologiques tels que des convulsions, une gêne respiratoire, des vomissements ou une agitation musculaire. Bien entendu, s'il y a vomissement à la suite d'une administration orale, il y aura aussi diminution de la quantité de drogue qui atteindra le système nerveux central.

Interactions médicamenteuses

Quelle que soit la substance utilisée, il est très important de tenir compte de ses interactions possibles avec les médicaments déjà administrés au patient, car son effet pourra être annulé ou accru. Les permutations possibles sont trop nombreuses pour toutes les mentionner ici, mais le médecin devrait examiner soigneusement les interactions possibles.

CHAPITRE 4

Le personnel infirmier sur la ligne de feu

C'est au médecin traitant qu'incombe la responsabilité de diagnostiquer l'affection dont souffre le patient. Le traitement de cette affection relève du médecin et du patient, après discussion des circonstances et des options. L'euthanasie doit faire l'objet d'un pacte négocié.

Quant au personnel infirmier, il se trouve sur la ligne de feu des soins et de l'attention qu'il faut donner quotidiennement au patient, mais il a des responsabilités restreintes en matière de décisions. Il est fort probable que ce sera d'abord à l'infirmier ou à l'infirmière que le patient exprimera son désir de mourir. Il ou elle pourra avoir de la sympathie pour cette requête, ou avoir besoin de temps pour l'accepter.

Si le personnel infirmier est tenu à l'écart du processus décisionnel relatif à l'euthanasie, il se sentira déconsidéré et insulté, et l'on se privera d'une précieuse source d'expérience et d'information. Cela pourrait susciter des problèmes. Il est donc préférable de lui permettre de participer au processus. Cependant, le personnel infirmier ne devrait pas avoir à prendre de décisions, ni à administrer les médicaments mortels.

Il faut d'abord que le personnel infirmier comprenne les principaux types d'euthanasie: l'euthanasie passive, obtenue par le débranchement des systèmes d'assistance cardio-respiratoire (légalement permissible); et l'euthanasie active, obtenue par l'administration d'une dose létale de médicaments (illégal tant que la loi interdisant l'aide au suicide ne sera pas modifiée). Évidemment, si la première méthode permet de donner suite aux désirs du patient, la seconde ne sera pas nécessaire.

Néanmoins, le fait d'interrompre des traitements devenus inutiles, de traiter avec un patient qui refuse des traitements susceptibles de retarder la mort, ou d'administrer des doses massives de médicaments analgésiques qui accélèrent indirectement la mort, peut être à l'origine de sentiments troublants à l'égard de l'euthanasie, s'ils n'ont pas déjà été considérés. Il est de la plus haute importance que tout le personnel médical concerné discute de ce qui est en train, ou sur le point, de se produire.

Le personnel infirmier doit s'assurer que le patient agit de plein gré et n'est pas influencé par quelqu'un d'autre, et qu'il a soigneusement examiné la situation et connaît les options qui s'offrent à lui. Si un infirmier ou une infirmière s'aperçoit que la situation est suspecte, il est alors de son devoir d'en avertir l'équipe médicale.

Le personnel infirmier étant en relation quasi constante avec le patient, sa participation à l'évaluation de la lucidité du patient pourra être d'une aide précieuse pour le médecin. Si l'infirmier ou l'infirmière a le moindre doute sur l'état ou le traitement du patient, il ou elle devra interroger le médecin traitant, mais, bien sûr, ne doit en aucun cas être tenu responsable de la situation. Le personnel infirmier pourra, par contre, être tenu responsable de ne pas avoir signalé ou d'avoir administré un traitement suspect, même sur les ordres d'un médecin.

Du point de vue professionnel et juridique, le médecin est le seul responsable du diagnostic. La décision finale de procéder à l'euthanasie (active ou passive) devrait également relever du médecin, en consultation avec au moins un autre médecin. Mais les opinions du personnel infirmier ne devraient pas pour autant être écartées.

Il se peut que le patient ne veuille parler d'euthanasie qu'avec son médecin, afin de ne pas impliquer le personnel infirmier. Ce vœu devrait être respecté. Cependant, cela n'arrive pas souvent.

Le personnel infirmier peut intervenir positivement dans le processus décisionnel, en fournissant des renseignements sur la famille et la situation sociale du patient et, peut-être, en se faisant l'avocat du patient. Il se peut que l'infirmier ou l'infirmière sache que le patient désire faire l'essai d'une autre intervention médicale visant à soulager la douleur, mais n'ose pas en faire la demande au médecin.

Une fois que la décision d'accéder au désir du patient est prise, toute l'équipe médicale doit être informée du moment de l'euthanasie et de la manière dont on procédera. Cela est particulièrement important dans le cas des patients qui choisissent l'administration de médicaments par voie orale, car il peut s'agir d'un processus assez long. Bien qu'il faille tout faire pour réduire le stress imposé à l'équipe soignante, une certaine implication émotive à l'égard de la mort du patient est éminemment souhaitable, afin de préserver l'appréciation du caractère sacré de la vie.

Pour résumer, un infirmier ou une infirmière qui désire participer au processus d'euthanasie doit bien connaître l'éthique et les lois relatives à l'euthanasie, notamment celles qui s'appliquent dans la région, l'organisme professionnel et l'institution visés. Le fait de connaître les règlements n'entraîne pas nécessairement l'obligation de les respecter, s'il y a un impératif moral qui les transcende.

Le personnel infirmier devrait pouvoir participer à toutes les étapes du processus et avoir l'occasion d'apporter sa contribution professionnelle.

CHAPITRE 5

Sommaire des méthodes

Les renseignements présentés dans ce chapitre proviennent en grande partie d'un rapport, présenté en 1987, par le groupe de travail de la Société royale néerlandaise pour l'avancement de la pharmacie. La bibliographie de ce rapport comprend 29 ouvrages, dont *Let Me Die Before I Wake.*

Les barbituriques

Une dose suffisamment importante de barbituriques entraînera une acidose gazeuse en provoquant une dépression respiratoire. En conjonction avec un choc vasculaire et (ou) cardiaque, cela entraînera la mort. L'administration d'un barbiturique peut aussi ne produire qu'un coma, la mort étant provoquée par l'administration d'une autre substance. Les patients qui prennent des barbituriques depuis longtemps (en tant que somnifères ou antiépileptiques) auront acquis une forte tolérance à ces substances; ainsi, à moins qu'on ne leur administre un multiple de la dose déjà prescrite, le coma pourrait n'être que provisoire.

Le thiopental sodique est l'agent qui convient le mieux à l'administration par voie intraveineuse. Il est impossible d'en injecter une dose suffisamment importante pour garantir l'effet létal, mais on peut utiliser le thiopenthal sodique pour produire un coma, après quoi on pourra administrer un relaxant musculaire. Normalement, une dose de 1 g de thiopental sodique devrait suffire; en cas de forte tolérance aux barbituriques, il faudra peut-être augmenter la dose à 1,5 ou 2 g.

Aucun barbiturique commercial ne se prête à l'administration par voie intramusculaire. Il existe dans le commerce du **phénobarbital** injectable, mais sa concentration (100 mg/ml) est si faible qu'il faudrait en injecter un volume considérable (50 ml, par exemple), ce qui ne convient pas aux injections intramusculaires.

Pour ce qui est de l'administration par voie orale, la préférence doit aller à un barbiturique lipophile qui franchira la barrière hémato-encéphalique relativement vite et agira donc rapidement. À cet égard, le **phénobarbital** n'est pas un très bon choix. Il est nettement préférable d'utiliser un sel sodique qui, étant très soluble, peut aisément être incorporé à une potion, qui sera absorbée rapidement. Les sels sodiques d'action rapide comprennent le **pentobarbital sodique,** le **sécobarbital sodique** et **l'hexobarbital sodique.** Ce dernier composé présente l'inconvénient d'être fortement hygroscopique. Pour l'administration par voie orale, la dose létale de **pentobarbital sodique** ou de **sécobarbital sodique** est évaluée à 3 g. Pour plus de certitude, on pourra tripler la dose. La mort peut survenir en quelques heures, mais, dans certains cas, seulement après un délai de deux à cinq jours. Un tel délai étant inacceptable aux fins de l'euthanasie, il est préférable d'y associer une autre substance. Dans le passé, on recommandait l'utilisation d'un dépresseur du système nerveux central, comme le **diazépam** ou **l'alcool,** mais on considère aujourd'hui que l'administration simultanée de **dextropropoxyphène** et (ou) d'**orphénadrine** (**Disipal,** en Hollande) est préférable (voir ci-dessous). Bien entendu, il est également possible, lorsque la personne est dans le coma, d'injecter un curarisant (leptocurare).

En raison des inconvénients qui y sont associés, l'administration d'un suppositoire rectal devra être une mesure d'exception. Pour optimiser l'absorption du barbiturique, le suppositoire devra être composé d'un sel sodique (provoquant une réaction alcaline) incorporé à un excipient gras. On pourra envisager d'utiliser 1 g de **pentobarbital sodique** ou de **sécobarbital sodique** par suppositoire. Mais l'administration d'une quantité aussi importante sera douloureuse pour le patient.

Il n'y a aucun avantage évident à administrer une combinaison de divers barbituriques, plutôt qu'un seul en quantité suffisante. Cela vaut également pour la combinaison de deux barbituriques et d'hydroxyzine anxiolytique, qu'on retrouve par exemple dans le **Vesperax®** (dont chaque comprimé renferme 150 mg de **sécobarbital sodique**, 50 mg de **brallobarbital calcique** et 50 mg de **dihydrochlorure d'hydroxyzine**). Bien que **l'hydroxyzine** contribue à l'effet létal, la mort pourrait ne survenir qu'après un certain temps, comme dans le cas de l'administration d'un seul barbiturique. On a constaté que l'administration de 10 comprimés de **Vesperax®** ne produit pas toujours les résultats escomptés.

Les dérivés de la benzodiazépine

Il n'est pas difficile de provoquer un coma par l'administration orale d'un dérivé de la benzodiazépine, mais il est difficile de provoquer la mort. C'est pourquoi l'administration intraveineuse est préférable. Néanmoins, on a relevé des cas où même une dose de 40 mg de **diazépam (Valium®)** administrée par voie intraveineuse n'a pas suffi. On peut provoquer un coma de façon beaucoup plus certaine par une injection intraveineuse de **flunitrazépam** ou de **midazolam** (Versed®). Cependant, comme on a une expérience encore trop restreinte de ces substances, il faut continuer à donner la préférence au barbiturique **thiopental** (voir ci-dessus).

Les relaxants musculaires et les curarisants (leptocurares)

L'administration intraveineuse d'une quantité suffisante de curarisant entraîne, en quelques minutes, la paralysie complète de tous les muscles striés. Cette paralysie provoque l'arrêt respiratoire et la mort par anoxémie (diminution de la quantité d'oxygène contenue dans le sang). La paralysie étant particulièrement effrayante, cette substance ne doit être administrée qu'à un patient se trouvant déjà plongé dans le coma. Si on a le moindre doute quant à l'état comateux du patient, il faut d'abord provoquer le coma en administrant de thiopental par voie intraveineuse (voir ci-dessus).

La substance dépolarisante **suxaméthonium** ne doit pas être envisagée pour l'euthanasie, car, même administrée en doses importantes, sa durée d'action est trop brève. Les agents non dépolarisants, tels que le **dichlorure d'alcuronium,** le **dibromure de pancuronium (Pavulon®)** et, supposément, le **bromure de vécuronium (Norcuron®)** sont très utiles. Après l'administration, le pancuronium se lie principalement aux globulines, tandis que l'alcuronium se lie surtout à l'albumine. Cette différence est particulièrement importante dans les cas d'hépatite ou de cirrhose graves, où une concentration très élevée de globulines pourrait considérablement réduire l'effet du pancuronium. L'alcuronium sera donc préférable dans de tels cas.

Dans le passé, on recommandait de doubler la dose thérapeutique de curarisants aux fins de l'euthanasie. Cependant, afin de provoquer une paralysie létale dans tous les cas, il serait préférable de tripler la dose, soit 45 mg de dichlorure d'alcuronium ou 18 mg de dibromure de pancuronium. Le mode d'administration idéal sera par voie intraveineuse, généralement utilisé en anesthésie. Si cela n'est pas possible, l'injection intramusculaire semble être une bonne solution de rechange. Mais il se peut que la substance soit libérée de façon irrégulière à partir du muscle, d'où une fiabilité moindre. L'expérience indique cependant qu'on peut obtenir le résultat désiré dans un délai assez court (10 minutes), à condition d'injecter une forte dose du

curarisant de la façon appropriée. Des essais récents pratiqués sur des chiens le confirment.
L'administration orale ou rectale de relaxants musculaires ou de curarisants est à déconseiller. La structure quaternaire des relaxants musculaires les rend difficiles à absorber quand ils sont administrés ainsi.

Les analgésiques narcotiques

Chez un patient qui ne reçoit pas déjà d'analgésiques narcotiques, l'administration intraveineuse d'une dose suffisante entraînera rapidement un arrêt respiratoire provoqué par une forte dépression de l'appareil respiratoire, suivi d'une période de respiration de Cheyne-Stokes et de la mort par anoxémie. Il faut éviter l'administration d'injections intraveineuses en doses croissantes, en raison de la possibilité d'une tolérance rapide à ces substances.

Les malades en phase terminale qui prennent des analgésiques narcotiques depuis un certain temps tolèrent leur effet dépresseur sur l'appareil respiratoire. L'administration d'un analgésique narcotique réussit rarement à provoquer l'euthanasie, même lorsqu'on utilise de fortes doses. L'analgésique narcotique produira alors tout au plus une stupeur catatonique, sans d'abord supprimer la respiration. Il se peut alors que le patient s'éveille, en proie à la confusion et à l'angoisse. Ces substances produisent rarement une véritable euphorie. La respiration ne deviendra insuffisante que si l'on administre, ultérieurement, de nouvelles doses d'analgésiques narcotiques. Il se produira alors une acidose gazeuse et un coma, provoquant la mort du patient.

Il semblerait, à la lumière de ce qui précède, qu'il soit difficile d'établir précisément quand survient la mort. Ce peut être une question d'heures ou de jours. Il n'est pas non plus facile d'établir la dose appropriée. Aux Pays-Bas, on utilise assez fréquemment une injection intraveineuse de 10 mg d'**hydrochlorure de morphine,** mais cette quantité assez faible aura pour effet de faciliter et non d'accélérer la mort. En outre, la dose intraveineuse, précédemment recommandée, de 1 mg de **fentanyl (Sublimaze®),** sous forme de **citrate dihydrogéné,** semble aussi être insuffisante. Un problème particulier peut également découler du fait que certaines substances, telles que la **buprénorphine (Brupenex®)** et la **pentazocine (Talwin®),** possèdent non seulement des propriétés d'antagonistes des narcotiques, mais également d'antagonistes de ces mêmes agents. L'administration de telles substances pouvant parfois provoquer des symptômes aigus de sevrage, elle devrait être déconseillée.

Une autre solution efficace consiste à combiner un barbiturique (voir ci-dessus) et de l'**hydrochlorure de dextropropoxyphène,** administrés tous deux par voie orale. L'ajout de cette deuxième substance permet de s'assurer que la mort surviendra dans un délai prévisible (entre une et cinq heures). On ignore encore si son effet est uniquement attribuable à la dépression respiratoire ou également au choc circulatoire. À l'heure actuelle, le dextropropoxyphène n'est disponible que sous forme de produit à libération contrôlée **(Depronal®** ou **Darvon®),** soit sous forme de capsule renfermant des granules. Même si l'on retire les granules de la capsule, la libération demeure lente, mais cette propriété est annulée par la pulvérisation des granules. Par ailleurs, l'utilisation du dextropropoxyphène sans mécanisme de libération contrôlée demeure discutable. D'une part, on obtiendra un effet plus rapide et plus certain; mais, d'autre part, il se peut que la libération contrôlée explique justement pourquoi il n'y a jamais, ou très rarement, de vomissements après l'administration de dextropropoxyphène utilisé à des fins euthanasiques. On a relevé des cas d'intoxication fatale provoqués par l'ingestion de seulement 1 g de dextropropoxyphène, mais aussi des cas de rétablissement après ingestion de plusieurs grammes. Il est donc recommandé d'accroître la dose euthanasique de 1,5 g, utilisée dans le passé, à 3 g. Il se peut que l'alcool augmente considérablement la toxicité du dextropropoxyphène, mais cette potentialisation n'est obtenue qu'avec une importante quantité d'alcool. Le principal inconvénient des analgésiques narcotiques, soit la possibilité d'une forte tolérance par suite d'un usage antérieur à long terme, vaut également pour le dextropropoxyphène. On connaît au moins un cas où le patient avait acquis une telle tolérance à cette substance, que même 15 capsules de Depronal® (ce qui correspond à 2,25 g d'**hydrochlorure de dextropropoxyphène**) n'ont pas permis d'obtenir les résultats escomptés. Du point de vue chimique, le dextropropoxyphène présente l'inconvénient supplémentaire d'être un ester, pouvant se désintégrer ou devenir rapidement inactif en milieu alcalin. Cela signifie qu'on ne doit pas incorporer cette substance à une potion à pH élevé, renfermant une forte concentration de barbiturique sodique.

Il semble y avoir encore des doutes quant à la possibilité de combiner un barbiturique oral à un analgésique narcotique autre que le dextropropoxyphène. Le **bézitramide** (disponible uniquement aux Pays-Bas, en Belgique et en Scandinavie) ne semble pas être un choix approprié, car il produit des effets secondaires indésirables, comme les vomissements, même à faible dose. De plus, son absorption est lente et irrégulière, et son action repose sur une fonction hépatique normale. La **méthadone** semblerait être une meilleure solution pour l'administration par voie orale, mais on l'a encore très peu utilisée aux fins de l'euthanasie. On ignore si une dose létale de cette substance provoquera des vomissements.

L'orphénadrine

Les cas d'intoxication à l'**orphénadrine (Norflex®, Norgesic®** et d'autres) semblent avoir fréquemment une issue fatale. L'arrêt respiratoire mortel, présumément le résultat d'une action centrale, peut survenir deux ou trois heures à peine après l'ingestion. Même si le patient est découvert et traité à temps, il peut manifester des effets cardiotoxiques directs et indirects, et mourir dans un délai de 12 à 18 heures suivant l'ingestion de la surdose. À la lumière de ces observations, il semblerait que l'orphénadrine (Disipal, aux Pays-Bas) soit le meilleur agent euthanasique. Il pourrait s'agir, concrètement, d'une potion administrable par voie orale, combinant un barbiturique sodique (voir ci-dessus) et de l'hydrochlorure d'orphénadrine. On n'a encore toutefois tenté aucune expérience avec cette préparation. La dose létale pourrait s'établir à 3 g.

La kétamine

Au premier abord, il semblerait que l'administration intramusculaire de **kétamine** (sous forme d'**hydrochlorure**) soit efficace pour provoquer le coma. Employée en tant qu'anesthésique, une dose de 10 mg/kg de masse corporelle agit dans un délai de 2 à 8 minutes, et ses effets durent de 12 à 25 minutes. Pour être sûr de provoquer le coma, il faudrait administrer une dose au moins deux fois plus importante (20 mg/kg de masse corporelle) que celle qui est généralement utilisée en anesthésie. Cette solution présente les inconvénients suivants: le volume est trop important (30 ml du liquide d'injection de 50 mg/ml) pour être injecté par voie intramusculaire; le patient semble être éveillé durant l'état de narcose induit par la kétamine; le patient peut être pris de convulsions et avoir des cauchemars horrifiants, fréquemment signalés chez les adultes. La kétamine ne constitue donc pas un agent de choix lorsqu'on désire provoquer un coma.

L'insuline

L'administration parentérale d'insuline en dose suffisamment élevée produit un coma hypoglycémique qui entraîne la mort. La rapidité du processus dépend de l'état du patient. Dans tous les cas, la mort survient en quelques heures au moins, mais parfois en quelques jours. La profondeur du coma peut varier et même diminuer avec le temps, de sorte qu'il peut devenir nécessaire d'administrer une nouvelle dose d'insuline. Durant un coma superficiel, le patient peut être très agité et avoir des spasmes. L'usage de l'insuline à des fins euthanasiques n'est donc pas recommandé.

Autres agents

L'administration de fortes doses d'un **glucoside digitalique** ou d'un **bêta-bloquant** peut entraîner la mort, à la suite d'un choc cardiaque ou cardiovasculaire. Mais cela est imprévisible, car certains patients ont survécu à des surdoses des deux substances. On peut provoquer un arrêt cardiaque par l'administration intraveineuse d'une forte dose de **chlorure de potassium,** mais l'injection sera très douloureuse pour le patient. Ces agents ne doivent évidemment pas être injectés à un patient conscient. En outre, leur usage n'est pas répandu et donc déconseillé.

En surdose massive, la **lidocaïne** peut provoquer une insuffisance respiratoire et un arrêt cardiaque. Cependant, elle produit également des convulsions, ce qui la rend peu indiquée pour l'euthanasie.

Les **inhibiteurs de la cholinestérase** empêchent la dégradation de l'acétylcholine, entraînant une stimulation des récepteurs muscariniques et nicotiniques. Les symptômes apparentés à l'effet nicotinique comprennent des fibrillations musculaires qui peuvent entraîner la paralysie des muscles qui interviennent dans la respiration et provoquer l'arrêt respiratoire. Les phénomènes apparentés à l'effet muscarinique comprennent, entre autres, la bradycardie et les altérations de l'électrocardiogramme. Les composés d'action centrale provoquant par ailleurs des convulsions, les substances sans groupes d'ammonium quaternaire semblent être préférables, quoiqu'on n'ait aucune expérience de leur utilisation à des fins euthanasiques. Leur disponibilité en tant que pesticides agricoles constitue un deuxième inconvénient.

Lignes directrices spécifiques relatives aux combinaisons médicamenteuses

Certaines combinaisons médicamenteuses se prêtent bien aux fins de l'euthanasie. Il est important de s'assurer que la forme et le mode d'administration appropriés soient utilisés.

En ce qui concerne les agents administrés par voie **parentérale,** on peut utiliser les produits pharmaceutiques existants, après avoir vérifié les directives relatives aux conditions d'entreposage et à la stabilité qui accompagnent le médicament. Dans le cas d'une poudre devant être dissoute dans un soluté injectable, le mélange devrait être fait immédiatement avant le processus d'euthanasie. On a relevé au moins un cas où l'euthanasie ne s'est pas déroulée comme prévue, parce que la solution de thiopental avait été préparée trop longtemps d'avance.

Pour ce qui est des agents administrés par voies orale ou rectale, on peut utiliser les agents existants, mais seulement en partie:

— si on utilise des barbituriques sous leur forme commerciale habituelle (comprimés), il faudra en administrer un grand nombre. Il est préférable d'incorporer l'ingrédient pur, sous forme de sel de sodium, à une potion ou à un suppositoire. Le mode de préparation est exposé ci-après.

— Le **dextropropoxyphène** n'est disponible que sous forme de capsules à libération contrôlée **(Depronal® ou Darvon®).** Il est déconseillé d'ajouter le contenu des capsules à une potion renfermant un barbiturique sodique, car il y a un risque de décomposition. Le contenu des capsules, non pulvérisé, devrait être administré séparément, incorporé à une petite quantité de crème ou de yogourt.

— L'**orphénadrine** qui est disponible sous forme d'hydrochlorure, peut être ajoutée à une potion contenant un barbiturique, préparée avec de la poudre.

Lignes directrices — administration par voie orale

Pentobarbital (9g/100 ml) administré par voie orale

Prescription:	Pentobarbital sodique	9 g
	Alcool	20 ml
	Aqua purificata	15 ml
	Propylène-glycol	10 ml
	Sirupus aurantii corticis	50 ml

Préparation: Dissoudre le pentobarbital sodique dans le mélange d'eau purifiée, de propylène-glycol et d'alcool; bien agiter. Ajouter le sirop d'orange et bien mélanger.

Conservation: À utiliser au plus tard un mois après la date de préparation.

Remarques: À cette concentration, le pentobarbital sodique ne se dissout pas complètement dans l'eau; le pentobarbital se cristallise. L'ajout de propylène-glycol et d'alcool, dans les proportions indiquées ci-dessus, semble empêcher la cristallisation. Ces substances servent en outre d'agents de conservation. Entreposée à la température ambiante, cette préparation reste presque limpide pendant deux mois; une petite quantité de sédiments très fins, provenant probablement du sirop d'orange, se dépose, mais il suffit d'agiter le mélange pour l'y incorporer. Il peut se produire une cristallisation à la suite d'un entreposage prolongé.

D'après la *Martindale's Extra Pharmacopeia,* une solution à 10 p. cent se décompose lentement. Des études réalisées par chromatographie en phase liquide à haute pression ont révélé que cette préparation peut être entreposée à la température ambiante pendant au moins un mois, sans perdre sa stabilité chimique. Selon le même ouvrage, le pentobarbital sodique aurait un goût légèrement amer. À la concentration utilisée, la préparation a un goût et un arrière-goût très amers.

Du fait que le pH de la potion est d'environ 9,7, il est déconseillé d'y ajouter l'ester dextropropoxyphène qui se dégrade rapidement en milieu alcalin.

Sécobarbital (9 g/100 ml) administré par voie orale

Prescription:	Sécobarbital sodique	9 g
	Alcool (96 % v/v)	20 ml
	Aqua purificata	15 ml
	Propylène-glycol	10 ml
	Sirupus aurantii corticis	50 ml

Préparation: Dissoudre le sécobarbital sodique dans le mélange d'eau purifiée, de propylène-glycol et d'alcool; bien agiter. Ajouter le sirop d'orange et bien mélanger.

Conservation: À utiliser au plus tard un mois après la date de préparation.

Remarques: À cette concentration, le sécobarbital sodique ne se dissout pas complètement dans l'eau; le sécobarbital se cristallise. L'ajout de propylène-glycol et d'alcool, dans les proportions indiquées ci-dessus, semble empêcher la cristallisation. Ces substances servent en outre d'argents de conservation. Entreposée à la température ambiante, cette préparation reste presque limpide pendant deux mois; une petite quantité de sédiments très fins, provenant probablement du sirop d'orange, se dépose, mais il suffit d'agiter le mélange pour l'y incorporer.

D'après la *Martindale's Extra Pharmacopeia,* une solution à 10 p. cent se décompose lentement. Des études réalisées par chromatographie en phase liquide à haute pression ont révélé que cette préparation peut être entreposée à la température ambiante pendant au moins un mois, sans perdre sa stabilité chimique. Selon le même ouvrage, le pentobarbital sodique aurait un goût légèrement amer. À la concentration utilisée, la préparation a un goût et un arrière-goût très amers.

Du fait que le pH de la potion est d'environ 10,1, il est déconseillé d'y ajouter l'ester dextropropoxyphène qui se dégrade rapidement en milieu alcalin.

Pentobarbital (9 g/100 ml) et orphénadrienne (3 g/100 ml), administrés par voie orale

Prescription:

Hydrochlorure d'orphénadrine	3 g
Pentobarbital sodique	9 g
Alcool (96 % v/v)	20 ml
Aqua purificata	15 ml
Propylène-glycol	10 ml
Sirupus aurantii corticis	50 ml

Préparation: I. Dissoudre le pentobarbital sodique dans le mélange d'eau purifiée, de propylène-glycol et d'alcool; bien agiter. II. Mélanger l'hydrochlorure d'orphénadrine et le sirop d'orange. Incorporer le premier mélange au deuxième, et agiter vigoureusement.
Conservation: À utiliser au plus tard trois jours après la date de préparation.
Directives particulières: Inscrire «Agiter avant d'utiliser» sur l'étiquette.
Remarques: Lorsqu'on combine les deux mélanges (I et II), le liquide devient légèrement brouillé, probablement à cause de la base d'orphénadrine; mais, à l'entreposage, la matière en suspension se concentre à la surface du liquide. Il suffit d'agiter le mélange pour qu'il redevienne homogène.

L'orphénadrine comporte une liaison éther et un groupe aminé. Il est estimé que, fraîchement dissoute, elle conservera probablement sa stabilité pendant environ trois jours dans le milieu alcalin de cette préparation (pH d'environ 9,4). L'ajout de dextropropoxyphène est déconseillé (voir les remarques relatives au pentobarbital (9 g/100 ml) administré par voie orale).

Prescriptions pour administration par voie rectale

Pentobarbital (1 g) administré par voie rectale

Prescription:	Pentobarbital sodique	1 g
	Adeps solidus*	q.s.

* ex.: Witepsol H15

Préparation: Le pentobarbital sodique remplace environ 800 mg de l'excipient du suppositoire. Incorporer le pentobarbital sodique, finement pulvérisé et débarrassé de la poussière, dans un poids égal de l'excipient, chauffé à 40 ºC, jusqu'à l'obtention d'un mélange parfaitement homogène. Ajouter le reste de l'excipient, chauffé à 40 ºC. Laisser le mélange refroidir à 34 ºC ou 35 ºC, en remuant constamment, puis le verser dans des moules de 2,7 ml.

Conservation: À utiliser au plus tard deux semaines après la date de préparation, si les suppositoires sont conservés à la température ambiante; à utiliser au plus tard un mois après la date de préparation, si les suppositoires sont réfrigérés.

Remarques: D'après la Martindale's Extra Pharmacopeia, le pentobarbital sodique est une substance hygroscopique. En raison de cette propriété et de sa réaction alcaline, cette substance peut entrer en interaction avec l'excipient du suppositoire durant l'entreposage. Pour vérifier si cela influe sur la vitesse d'absorption, on a calculé le temps de fusion des suppositoires. Lorsque les suppositoires sont conservés à la température ambiante pendant plus de deux semaines, il semblerait que leur fusion soit altérée, tandis qu'on n'a observé aucune modification de la fusion après un mois d'entreposage au réfrigérateur.

Sécobarbital (1 g) administré par voie rectale

Prescription:	Sécobarbital sodique	1 g
	Adeps solidus*	q.s.

* ex.: Witepsol H15

Préparation: Le sécobarbital sodique remplace environ 800 mg de l'excipient du suppositoire. Incorporer le pentobarbital sodique, finement pulvérisé et débarrassé de la poussière, dans un poids égal de l'excipient, chauffé à 40 ºC, jusqu'à l'obtention d'un mélange parfaitement homogène. Ajouter le reste de l'excipient, chauffé à 40 ºC. Laisser le mélange refroidir à 34 ºC ou 35 ºC, en remuant constamment, puis le verser dans des moules de 2,7 ml.

Conservation: À utiliser au plus tard deux semaines après la date de préparation, si les suppositoires sont conservés à la température ambiante; à utiliser au plus tard un mois après la date de préparation, si les suppositoires sont réfrigérés.

Remarques: D'après la Martindale's Extra Pharmacopeia, le sécobarbital sodique est une substance hygroscopique. En raison de cette propriété et de sa réaction alcaline, cette substance peut entrer en interaction avec l'excipient du suppositoire durant l'entreposage. Pour vérifier si cela influe sur la vitesse d'absorption, on a calculé le temps de fusion des suppositoires. Lorsque les suppositoires sont conservés à la température ambiante pendant plus de deux semaines, il semblerait que leur fusion soit altérée, tandis qu'on n'a observé aucune modification de la fusion après un mois d'entreposage au réfrigérateur.

Administration par voie orale

Pour empêcher qu'une partie de la dose administrée ne soit rejetée par vomissement, il est recommandé d'administrer également, un jour à l'avance, un antiémétique, tel que du **métoclopramide (Primperan®** ou **Reglan®** aux États-Unis) ou de l'**alizapride (Litican®)** (à moins qu'on ne veuille procéder immédiatement). Le métoclopramide présente l'avantage supplémentaire d'accélérer l'évacuation de l'estomac, ce qui peut accroître la vitesse d'absorption de l'agent euthanasique. Une autre solution consiste à administrer un dérivé de la phénothiazine, comme la **prochlorpérazine (Stemetil®** ou **Compazine®** aux États-Unis) et la **thiéthylpérazine (Torecan®),** ou un dérivé de la butyrophénone, comme l'**halopéridol (Haldol®)** et le **dropéridol (Dehydrobenzperidol®** ou **Inapsine®** aux États-Unis). On doit garder à l'esprit que ces substances peuvent provoquer un syndrome extrapyramidal désagréable chez les patients âgés.

Il est préférable d'administrer, par voie orale, le contenu de 20 capsules de **Depronal®** ou de 46 capsules de **Darvon-65®** (équivalent à 3 g d'hydrochlorure de dextropropoxyphène), incorporé à une petite quantité de crème, de crème de céréales ou de yogourt. Immédiatement après, il faudrait administrer une potion de 100 ml renfermant 9 g de **sécobarbital sodique** ou de **pentobarbital sodique** (voir ci-dessus, Sécobarbital (9 g/100 ml) administré par voie orale et Pentobarbital (9 g/100 ml) administré par voie orale). Dans le cas d'un patient qui tolère ou serait susceptible de tolérer le dextropropoxyphène, on **ne** doit **pas** administrer de potion barbiturique en même temps que le dextropropoxyphène, mais plutôt 100 ml d'une potion contenant 9 g de barbiturique ainsi que 3 g d'**hydrochlorure d'orphénadrine** (voir Pentobarbital (9 g/100 ml) et orphénadrine (3 g/100 ml) administrés par voie orale). Comme on a peu d'expérience dans l'utilisation euthanasique de l'orphénadrine, il est préférable d'utiliser la combinaison barbiturique-dextropropoxyphène-orphénadrine, plutôt que la combinaison barbiturique-orphénadrine sans dextropropoxyphène.

Administration par voie intraveineuse

La meilleure façon de procéder consiste d'abord à provoquer un coma en administrant 1 g (voire 1,5 ou 2 g, en cas de forte tolérance aux barbituriques) de **thiopental sodique (Nesdonal®),** puis d'administrer 45 mg de **dichlorure d'alcuronium** (**Alloferin®**) ou 18 mg de **dibromure de pancuronium (Pavulon®).** L'alcuronium est l'agent idéal dans le cas de patients atteints d'hépatite ou de cirrhose graves.

Administration par voie intramusculaire

Il semble à peu près certain que le **dichlorure d'alcuronium** (45 mg, **Alloferin®**) ou le **dibromure de pancuronium** (18 mg, **Pavulon®**) peuvent être injectés non seulement par voie intraveineuse, mais aussi par voie intramusculaire (encore une fois, en cas d'hépatite ou de cirrhose graves, seul l'alcuronium est à considérer). Le problème, cependant, c'est qu'il n'existe aucun produit administrable par voie intramusculaire qui puisse d'abord provoquer un coma. Bien qu'il existe des solutés injectables par voie intramusculaire qui contiennent du **phénobarbital** ou de la **kétamine (Ketalar®),** le volume nécessaire (soit des dizaines de ml) serait trop considérable pour l'administration intramusculaire.

Administration par voie rectale

L'administration d'un agent euthanasique par voie rectale comporte tellement d'inconvénients que cette méthode ne doit être envisagée que lorsque tous les autres modes d'administration semblent impossibles. Le cas échéant, on pourra envisager l'administration d'un suppositoire renfermant 1 g de **pentobarbital sodique** ou de **sécobarbital sodique** dans un excipient gras (voir Pentobarbital (1 g) administré par voie rectale et Sécobarbital (1 g) administré par voie rectale). Quant à la dose possible, on pourrait envisager l'insertion de trois suppositoires par heure. Il est très important de s'assurer que la température corporelle du patient ne soit pas si basse (ou ne le devienne pas) qu'elle empêche la fusion complète du suppositoire. Le médecin devrait être prêt à administrer, si nécessaire, une injection parentérale de relaxant musculaire si la mort ne survient pas après l'administration de 15 suppositoires.

Qu'est-ce que notre vie? Un drame de passion.
Notre gaieté, la musique de la division.
Le ventre de nos mères, les coulisses
Où nous nous déguisons pour cette brève comédie.
Le ciel, le spectateur judicieux et attentif
Qui note et pourtant agit de travers.
Nos tombes qui nous cachent du soleil pénétrant
Sont comme le rideau qui tombe à la fin de la pièce.
Ainsi allons-nous, jouant jusqu'à notre dernier repos,
Seulement, nous mourons pour vrai, et la comédie est finie.

Sir Walter Raleigh
1552? - 1618

Notes bibliographiques

Seulement trois ouvrages sur l'autodélivrance et l'aide au suicide sont vendus en librairie ou prêtés en bibliothèque. *Let Me Die Before I Wake*, sous-titré «Hemlock's book of self-deliverance for the dying», de Derek Humphry, a été publié aux États-Unis en 1981, par la Hemlock Society, et réédité chaque année depuis, avec une mise à jour importante en 1986. Cet ouvrage, qui relate l'histoire véridique de mourants ayant mis fin à leur vie, comprend également des données précises sur la posologie, ainsi que d'autres détails.

En 1982, les Éditions Alain Moreau, de Paris, ont publié *Suicide, mode d'emploi*, de Claude Guillon et Yves Le Bonniec. Cet ouvrage s'est très bien vendu en France et en Allemagne, en traduction. Il traite essentiellement du suicide et de ses connotations politiques dans l'histoire de France. Les renseignements sur la posologie sont tirés des publications de EXIT (Grande-Bretagne), de la Hemlock Society et de la Société néerlandaise d'euthanasie volontaire (Pays-Bas).

En 1983, les éditions Anthos, aux Pays-Bas, ont publié *Zorg jij dak ik niet meer wakker word?* (Assure-toi qu'on ne me réveille pas), de Klazien Sybrandy et Rob Bakker. Cet ouvrage est largement fondé sur la vaste expérience de Mme Sybrandy dans l'aide au suicide auprès des mourants. Les doses létales et leur mode d'administration sont exposés en détail.

Au moins cinq sociétés d'euthanasie ont publié des brochures détaillant des méthodes d'autodélivrance, mais elles ne les distribuent qu'à leurs membres. On ne les trouve pas en librairie ni en bibliothèque. La première, *How To Die With Dignity*, du Dr George B. Mair, médecin à la retraite, a été publiée en 1980, en Écosse, par EXIT (maintenant la Voluntary Euthanasia Society of Scotland). Une édition révisée est encore vendue aux membres. En 1981, la société EXIT de Grande-Bretagne a fait paraître *A Guide To Self-Deliverance* (sans mention d'auteur) et l'a distribué à ses membres, pendant quelques mois. À la suite d'une décision de la cour déclarant qu'EXIT pourrait faire l'objet de poursuites si cet ouvrage était utilisé en rapport avec un suicide, la société en a cessé la distribution. (En vertu de la loi britannique, non seulement l'aide au suicide est un crime, mais les publications qui s'y rapportent constituent également un délit grave.)

Autodélivrance, de Michel L. Landa, fondateur de l'Association pour le droit de mourir dans la dignité (ADMD) en France, a été publié en 1982. Michel Landa, qui souffrait d'un cancer du poumon, s'était enlevé la vie l'année précédente. Cette brochure n'est accessible qu'aux membres de l'ADMD. La DGHS (Allemagne) et la RWS (Belgique) ont également produit des manuels sur l'autodélivrance à l'intention de leurs membres.

Justifiable Euthanasia: A Manual for the Medical Profession, du Dr Pieter V. Admiraal, est la seule brochure sur le sujet écrite par un médecin pratiquant; elle a été publiée à Amsterdam, par la Société néerlandaise d'euthanasie volontaire. Ce texte de 11 pages, qui a paru en néerlandais en 1983 et en traduction anglaise en 1984, traite presque exclusivement de doses mortelles de médicaments.

Tous ces ouvrages et ces organismes m'ont aidé à écrire *Exit final*, et je leur en suis reconnaissant.

Derek Humphry

Autres lectures recommandées

Il existe aujourd'hui bon nombre d'excellents ouvrages sur la mort et l'euthanasie. Les lecteurs trouveront dans la liste suivante les ouvrages qui, selon moi, leur seront les plus utiles.

Cas particuliers

HUMPHRY, Derek, *Jean's Way,* Hemlock Society, 1978.
ROLLING, Betty, *First You Cry,* Signet, New York, 1977.
ROLLING, Betty, *Last Wish,* Warner, 1987.
WERTENBERGER, Lael, *Death of a Man,* Random House, New York, 1957.

Histoire et éthique

ALVAREZ, A., *The Savage God: A Study of Suicide,* Bantam Books, 1976.
FLETCHER, Joseph, *Morals and Medicine,* Beacon Press, 1954.
HUMPHRY, Derek et WICKETT, Ann, *The Right to Die: Understanding Euthanasia,* Hemlock Society, 1989.
MAGUIRE, Daniel C., *Death By Choice,* Schoken Books, 1975.

Le suicide chez les gens âgés

HUMPHRY, Derek, (éd.) *Compassionate Crimes, Broken Taboos.* Hemlock Society, 1980.
PORTWOOD, Doris, *Common Sense Suicide: The Final Right,* Hemlock Society, 1980.
WICKETT, Ann, *Double Exit: When Aging Couples Commit Suicide Together,* Hemlock Society, 1988.

Religion

LARUE, Gerald A., *Euthanasia and Religion,* Hemlock Society, 1985.

Bibliographie

Voluntary Euthanasia: A Comprehensive Bibliography, compilé par Gretchen Johnson, Hemlock Society, 1988.

Réforme législative

RISLEY, Robert L., *Death With Dignity: A new law permitting physician aid-in-dying.* Hemlock Society, 1989.

Funérailles et cérémonies funèbres

MORGAN, Ernest, *Dealing Creatively With Death: A manual of death education and simple burial,* Celo Press, disponible auprès de la Hemlock Society.

Théâtre

CLARK, Brian, *Whose Life is it Anyway?* Avon, New York, 1980.

HOLLINGBERY, Vilma, *Is This the Day?* Hemlock Society, 1990.

Romans

BARNARD, Christian, *In the Night Season,* Prentice Hall, New Jersey, 1978.
SEGAL, Erich, *Love Story,* Coronet, 1971.
WEST, Jessamyn, *The Woman Said Yes,* Harcourt Brace Jovanovitch, New York, 1976.

Appendice A

La Loi sur le droit de mourir dans la dignité telle qu'elle devrait être adoptée (modèle de la Hemlock Society)

• Permet à un adulte lucide, en phase terminale d'une maladie, d'obtenir une euthanasie médicalement assistée dans des circonstances précisément définies.

• Protège les médecins contre toute poursuite relative à l'exécution de la requête d'un patient.

• Allie les concepts des lois sur la mort naturelle et la procuration, et les rend plus utilisables.

• Permet à un patient de nommer un fondé de pouvoir habilité à prendre des décisions relatives aux soins de santé, y compris la non-utilisation et le débranchement de systèmes d'assistance cardio-respiratoire, et d'accorder au fondé de pouvoir le droit de demander l'euthanasie au cas où le patient deviendrait incapable.

• Stipule que la décision du fondé de pouvoir devra être examinée par un comité d'éthique ou tout autre comité hospitalier pertinent, avant que la décision ne puisse être exécutée par le médecin.

• Pour se prévaloir de cette loi, un adulte lucide doit signer une directive exprimant sa volonté de mourir dans la dignité.

• Prévoit la révocation d'une directive en tout temps et par tous les moyens.

• Stipule que les hôpitaux et autres institutions de soins de santé devront conserver les dossiers et signaler tous les décès au ministère de la Santé, et ce, sous le couvert de l'anonymat.

• Permet au médecin traitant, sous réserve du consentement du patient, d'ordonner un examen psychiatrique, s'il doute que le patient a la lucidité nécessaire pour demander l'euthanasie.

• Interdit l'euthanasie pour le seul motif que le patient constitue un fardeau, ou dans le cas d'un patient incapable ou en phase terminale qui n'a pas rédigé de directive en bonne et due forme exprimant son désir de mourir dans la dignité.

• Interdit d'aider, de faciliter et d'encourager un suicide qui est considéré comme un crime aux termes de la présente loi.

• Interdit à un proche, un membre de la famille ou un étranger d'administrer une aide euthanasique.

• Interdit l'aide euthanasique aux enfants, aux personnes incapables ou à quiconque n'a pas volontairement et intentionnellement rempli et signé, devant témoin, une directive à cette fin.

• Vise à maintenir le processus décisionnel entre les mains du patient et du dispensateur de soins, et hors du système judiciaire.

• Prévoit des mécanismes de protection particuliers pour les patients qui sont sous les soins d'institutions hospitalières reconnues.

• Accorde aux médecins, infirmiers et infirmières, et hôpitaux privés le droit de refuser, pour des motifs éthiques, de donner suite à la demande d'aide euthanasique formulée par un patient.

L'auteur

Né en 1930 à Bath, en Angleterre, Derek Humphry a quitté l'école à 15 ans et a d'abord travaillé comme commissionnaire pour un journal. À 16 ans, il devint reporter débutant au *Bristol Evening World*. Il travailla ensuite comme journaliste pour le *Manchester Evening News*, puis le *Daily Mail* de Londres. À 33 ans, il obtint un poste de rédacteur au *Havering Recorder*, journal de la banlieue londonienne, et passa, cinq ans plus tard, au *Sunday Times* de Londres.

En 1971, il publiait *Because They're Black*, un ouvrage expliquant la vie des Noirs aux Blancs, qui remporta le Martin Luther King Memorial Prize pour son apport à l'harmonie raciale en Grande-Bretagne. Cet essai fut suivi de plusieurs autres traitant des questions raciales et des libertés civiles, et d'une biographie de Michael X, leader du mouvement contestataire noir.

En 1978, après avoir travaillé pendant 10 ans comme correspondant au *Sunday Times*, Derek Humphy émigra aux États-Unis, où il se joignit au *Los Angeles Times* en tant que rédacteur spécial. Après la parution de *Jean's Way*, récit de l'aide euthanasique qu'il apporta à sa première femme, atteinte d'un cancer en phase terminale, l'appui qu'il reçut de nombreux pays l'incita à se consacrer au mouvement pour l'euthanasie volontaire, et il fonda la Hemlock Society.

Derek Humphry est également l'auteur de *Let Me Die Before I Wake et de The Right to Die: Understanding Euthanasia*, écrit en collaboration avec sa deuxième femme, Ann Wickett, dont il a divorcé en 1990. Il vit maintenant dans la région montagneuse avoisinant Eugene, en Oregon et pratique la voile dans ses loisirs.

Il est directeur administratif de la Hemlock Society depuis 1980, et fut, de 1988 à 1990, président de la World Federation of Right to Die Societies.

La Hemlock Society

Devise: «Bien vivre et bien mourir»

Fondée en 1980 à Los Angeles pour promouvoir le droit au libre choix de l'euthanasie volontaire pour les malades en phase terminale, la Hemlock Society a connu une croissance soutenue et compte actuellement 38 000 membres et 70 sections locales.

Bien que son principal fondateur, Derek Humphry, soit d'origine britannique, la Hemlock Society est un organisme américain à part entière, qui détient le statut fiscal de société sans but lucratif, en vertu des lois de la Californie et de l'Oregon. Ses autres membres fondateurs sont Ann Wickett, Gerald A. Larue et Richard S. Scott.

La Hemlock Society publie des bulletins et des livres, organise des conférences et des réunions publiques, poursuit des recherches et produit des vidéos éducatifs. Toutes ces activités ont pour objet de sensibiliser l'opinion publique au droit des malades en phase terminale de mourir de la manière de leur choix.

Des groupes affiliés à la Hemlock Society ont fait campagne pour obtenir des réformes législatives. En 1988, le groupe Americans Against Human Suffering a tenté d'organiser un référendum sur la question, mais certaines lacunes organisationnelles l'ont empêché de réunir un nombre suffisant de signatures.

La Hemlock Society de l'État de Washington a proposé à la législature un projet de loi qui sera soumis à l'électorat en novembre 1991. Des campagnes visant l'obtention de réformes législatives s'organisent également en Oregon, en Californie et en Floride.

Tous ces groupes ont pour but de faire adopter la Loi sur le droit de mourir dans la dignité, qui autoriserait l'euthanasie médicalement assistée pour les malades en phase terminale.

Index

Table des matières

Deuxième partie: L'euthanasie et le personnel soignant

Achevé d'imprimer au Canada
Imprimerie Gagné Ltée Louiseville